5/06/'00 Stéphanie & Cécile

RÊVES DE MONTAGNES

DU MÊME AUTEUR
CHEZ LE MÊME ÉDITEUR

Voyage au bout de la solitude
Tragédie à l'Everest

Jon Krakauer

RÊVES DE MONTAGNES

Traduction de Christian Molinier

Récits

Titre original : *Eiger Dreams*

Plusieurs récits ont paru préalablement : “L’Eiger” dans *Outside*, mars 1985; “John Gill” dans *New Age Journal*, mars 1985; “Les cascades de glace de Valdez” dans *Smithsonian*, janvier 1988; “Sous la tente” dans *Outside*, octobre 1982; “Les pilotes de Talkeetna” dans *Smithsonian*, janvier 1989; “Le club du Denali” dans *Outside*, décembre 1987; “Chamonix” dans *Outside*, juillet 1989; “Dans les canyons” dans *Outside*, octobre 1988; “Une montagne plus haute que l’Everest?” dans *Smithsonian*, octobre 1987; “Les frères Burgess” dans *Outside*, août 1988; “Un été de chien au K2” dans *Outside*, mars 1987.

ISBN 2-258-04862-1

Pour Linda, en pensant aux Green Mountain Falls, aux Wind Rivers et à Roanoke Street.

Les récits les plus anciens et les plus célèbres sont des récits d'aventures. On y évoque des personnages héroïques qui pénètrent au péril de leur vie dans des contrées mythiques, situées au-delà du monde connu, d'où ils reviennent avec de merveilleuses histoires à raconter. On pourrait soutenir... que l'art du récit est issu du besoin de relater des aventures et que, dès l'origine, ce qui mérite d'être raconté peut se définir ainsi : « Un homme risquant sa vie dans des rencontres périlleuses. »

Paul Zweig
The Adventurer
(L'Aventurier)

Quand une aventure survient, c'est que quelqu'un s'est montré incompétent, que quelque chose s'est mal passé. Une aventure n'est intéressante que rétrospectivement ; surtout pour celui qui ne l'a pas vécue. Au moment où elle se produit, ce n'est généralement qu'une expérience très désagréable.

Vilhjalmur Stefansson
My Life with the Eskimo
(Ma vie chez les Esquimaux)

SOMMAIRE

AVANT-PROPOS

Ceux qui ne pratiquent pas l'alpinisme n'ont au mieux qu'une vague notion des courses en montagne. C'est un thème de prédilection pour les mauvais films et pour les métaphores approximatives. Si, dans un rêve, vous faites l'ascension de quelque sommet escarpé, ce sera pain béni pour votre psychiatre. Voilà une activité qui fait l'objet de tant de récits mêlant audace et catastrophes que, par comparaison, les autres sports paraissent fades. L'escalade fait vibrer une corde sensible dans l'imagination du public, au même titre que les requins et les abeilles tueuses.

Le but de ce livre est d'écarter cette mystique envahissante et d'apporter sur le sujet un peu de lumière authentique. En réalité, la plupart des grimpeurs ne sont pas des esprits dérangés, ils ne font que ressentir un peu plus que les autres les impératifs de la condition humaine.

A dire vrai, je ne pose à aucun moment dans ce livre la question centrale : qu'est-ce qui pousse une personne normale dans une telle entreprise ?

Je tourne continuellement autour de cette interrogation, la pointant ici et là au moyen d'une longue baguette, mais je ne saute pas dans la cage pour affronter la bête *mano a mano.* Malgré tout, une fois le livre terminé, le lecteur concevra mieux, je crois, ce qui pousse les alpinistes à escalader les montagnes et pourquoi cela les obsède à ce point.

Ma propre obsession remonte à 1962. J'étais alors un gamin ordinaire qui grandissait à Corvallis, dans l'Oregon. Mon père se comportait avec ses cinq enfants d'une manière sensée mais rigide. Il les harcelait pour qu'ils étudient le latin et les mathématiques et travaillent sans relâche en vue d'un objectif unique : faire carrière dans le droit ou la médecine.

Or, inexplicablement, le jour de mon huitième anniversaire, ce maître d'étude inflexible se présenta à moi un minuscule piolet à la main et m'emmena effectuer ma première ascension. Même en y repensant, je ne parviens pas à comprendre ce qu'il avait en tête. S'il m'avait offert une moto et une carte de membre des Hell's Angels, il n'aurait pas saboté plus radicalement les ambitions qu'il plaçait en moi.

Parvenu à l'âge de dix-huit ans, une seule chose m'intéressait : l'escalade. Tout le reste — le travail, l'école, l'amitié, les plans de carrière, l'amour, le sommeil — était subordonné à cette passion et, le plus souvent, je le négligeais complètement.

En 1974, cette passion s'accrut encore. Ma première expédition en Alaska constitua le moment clé de cette période. Ce fut une randonnée d'un mois avec six compagnons dans les pics Arrigetch — une imbrication de minces tours de granit d'une beauté sévère et ensorcelante. Un jour de juin, à deux heures et demie du matin, après douze heures d'escalade continue, je me hissai au sommet d'une montagne appelée le Xanadu. C'était un lieu déconcertant, une étroite arête rocheuse qui était sans doute le point le plus élevé de toute la chaîne. Nous étions les premiers à y poser le pied. Au-dessous de nous, les cimes et les dalles des monts environnants semblaient éclairées de l'intérieur par une lueur orange. C'était l'aube continuelle et féerique de la nuit arctique en été.

Venu de la mer de Beaufort à travers la plaine, un vent mordant hurlait aux oreilles et transformait les mains en morceaux de bois. Je n'avais jamais été aussi heureux de ma vie.

En décembre 1975, j'obtins de justesse mon diplôme universitaire et passai les huit années qui suivirent à travailler tantôt comme charpentier itinérant dans le Colorado ou à Seattle, tantôt comme marin pêcheur en Alaska. Je vivais dans des chambres meublées, possédais une voiture pourrie et travaillais dans le seul but de payer mon loyer et de financer ma prochaine expédition. Et puis un moment arriva où je commençai à me sentir au bout du rouleau. Pendant des nuits entières, je restais éveillé en repensant à toutes les occasions où j'avais failli laisser ma peau en altitude. Le jour, tout en sciant des solives sous la pluie dans un chantier bourbeux, mes pensées me conduisaient de plus en plus vers mes anciens camarades d'université qui, depuis, avaient fondé une famille, investissaient dans l'immobilier, achetaient des meubles de jardin et amassaient consciencieusement de l'argent.

Finalement, je pris la résolution d'abandonner l'escalade et en informai la jeune femme que je fréquentais à l'époque. Elle en fut tellement abasourdie qu'elle accepta de m'épouser. Cependant, j'avais sous-estimé l'emprise que l'alpinisme exerçait sur moi. Une année s'était à peine écoulée que mon abstinence prit fin, et du coup mon engagement matrimonial faillit bien se terminer lui aussi.

Contre toute attente, je parvins à rester marié tout en continuant à grimper. Néanmoins, je ne me sentais plus obligé de pousser les choses à l'extrême, d'apercevoir le divin en haut de chaque cime, de transformer chaque ascension en un défi supérieur au précédent. Aujourd'hui, je me fais l'effet d'être un alcoolique qui serait passé de cuites quotidiennes au whisky à quelques verres de bière le samedi soir. Je me suis installé avec bonheur dans un alpinisme médiocre.

Au même moment, à mesure que mes ambitions de grimpeur déclinaient, mes efforts pour écrire connurent une croissance inversement proportionnelle. En 1981, je plaçai mon premier article dans un magazine à diffusion nationale. En novembre 1983, je raccrochai mes outils de charpentier avec l'espoir que ce serait définitif, j'achetai une machine à traitement de texte et commençai à gagner ma vie en écrivant. Je n'ai jamais cessé depuis. Ces derniers temps, on me demande de plus en plus d'écrire sur l'architecture, l'histoire naturelle ou la culture populaire. J'ai rédigé des articles sur les hommes qui marchent sur des braises pour *Rolling Stone,* sur les perruques pour *Smithsonian,* sur le style néo-Régence pour *Architectural Digest,* mais ce qui demeure le plus cher à mon cœur, ce sont les histoires de montagne.

Onze des douze récits qui suivent ont d'abord paru dans des magazines (sauf le dernier, *Le Devils Thumb,* écrit spécialement pour ce livre). En conséquence, ils ont bénéficié — et parfois pâti — des attentions d'une petite armée de rédacteurs en chef et de réviseurs lors de leur première publication. C'est ainsi que j'ai une dette particulière envers Mark Bryant et John Rasmus de *Outside,* ainsi qu'envers Jack Wiley, Jim Doherty et Don Moser de *Smithsonian,* pour leur inestimable contribution aux meilleurs de ces textes. Tous les cinq sont des écrivains accomplis en même temps que de grands journalistes et ils l'ont bien montré par la manière sensible et délicate avec laquelle ils se sont patiemment efforcés de me remettre dans la bonne voie chaque fois que je m'égarais.

Je dois aussi des remerciements à Larry Burke, Mike McRae, Dave Schonauer, Todd Balf, Alison Carpenter Davis, Marilyn Johnson, Michelle Stacey, Liz Kaufmann, Barbara Rowley, Susan Campbell, Larry Evans, Joe Crump, Laura Hohnhold, Lisa Chase, Sue Smith, Matthew Childs et Rob Story, de *Outside;* à Caroline Despard, Ed Rich, Connie Bond, Judy Harkison, Bruce Hathaway, Tim Foote et Frances Glennon, de *Smithsonian;* à Phil Zaleski et David Abramson, du *New Age Journal;* à H. Adams Carter, de *The American Alpine Journal;* à Michael Kennedy et Alsion Osius, de *Climbing;* à Ken Wilson, de *Mountain;* à Peter Burford, pour son aide dans la mise en forme de ce recueil; à Deborah Shaw et Nick Miller, pour leur hospitalité; à mon agent littéraire John Ware; et à mon camarade de free-lance Greg Child, coauteur d'une première version d'*Un été de chien au K2.*

J'éprouve également un sentiment de reconnaissance pour ceux dont j'ai partagé la cordée en certains jours mémorables : Fritz Wiessner, Bernd Arnold, Davis Trione, Ed Trione, Tom Davies, Marc Francis Twight, Mark Fagan, Dave Jones, Matt Hale, Chris Gulick, Laura Brown, Jack Tackle, Yvon Chouinard, Lou Dawson, Roman Dial, Kate Bull, Brian Teale, John Weiland, Bob Shelton, Nate Zinsser, Larry Bruce, Molly Higgins, Pam Brown, Bill Bullard, Helen Apthorp, Jeff White, Holly Crary, Ben Reed, Mark Rademacher, Jim Balog, Mighty Joe Hladick, Scott

Johnston, Mark Hesse, Chip Lee, Henry Barber, Pete Athans, Harry Kent, Dan Cauthorn et Robert Gully.

Par-dessus tout, je voudrais remercier mes parents, Lew et Carol Krakauer, pour le manque de jugeote dont ils ont fait preuve en m'emmenant à l'âge de huit ans faire l'ascension de la South Sister. Mes remerciements vont également à Steve Rottler, qui m'a engagé et rengagé pendant tant d'années à Boulder, Seattle et Port Alexander ; à Ed Ward — le grimpeur le plus naturellement doué que j'aie connu —, qui m'a appris à pratiquer l'escalade dans des conditions difficiles tout en restant vivant ; à David Roberts, qui m'a fait découvrir l'Alaska et m'a appris à écrire ; et à Linda Mariam Moore, ma meilleure éditrice et plus proche camarade.

1

L'EIGER

Au début du film *The Eiger Sanction,* Clint Eastwood pénètre d'un pas nonchalant dans la lumière tamisée du quartier général du C2, organisation similaire à la CIA. On doit lui désigner celui qu'il aura pour mission d'assassiner. Dragon, le patron insensible qui dirige le service, l'informe que l'Agence n'a pas encore découvert le nom de l'« objectif » mais qu'elle a appris qu'il doit participer à une ascension dans les Alpes l'été suivant ; et il ajoute : « Nous savons aussi de quelle montagne il s'agit : l'Eiger. »

Eastwood devine sans peine la voie qui sera empruntée : « La face nord, bien entendu. » Il est lui-même familier de ce mur alpin bien particulier : « J'ai fait deux tentatives, les deux fois j'ai failli me tuer... Si la cible essaie d'escalader l'Eiger, il y a des chances pour que le travail se fasse tout seul. »

La difficulté de l'ascension de l'Eiger par la face nord tient à ce qu'il faut non seulement vaincre un mur de 1 800 mètres de calcaire friable et de glace mais en plus affronter une formidable mythologie. Or, dans toutes les escalades, les épreuves les plus difficiles sont mentales. Il faut parvenir à maîtriser sa peur grâce à une sorte de gymnastique psychologique. Mais la sinistre réputation de l'Eiger est suffisamment intimidante pour ébranler l'assurance de quiconque.

Plus de deux mille articles de journaux et de magazines ont évoqué les événements macabres survenus sur le Nordwand [1]. Les jaquettes de livres comme *Eiger, le mur de la mort* nous remettent en mémoire des réalités incontournables : « La face nord a vaincu des centaines d'alpinistes et en a tué quarante-quatre. Parfois, c'est plusieurs années après que l'on a retrouvé des victimes desséchées et démembrées. Le corps d'un Italien est resté pendu au bout de sa corde pendant trois ans, hors d'atteinte mais bien visible, tantôt scellé à la paroi par le gel, tantôt se balançant dans le vent de l'été. »

L'histoire de la montagne abonde en combats menés par des hommes plus grands que nature comme Buhl, Bonatti, Messner, Rebuffat, Terray, Haston et Harlin, pour ne rien dire d'Eastwood. Les passages qui jalonnent l'escalade — la Traversée Hinterstoisser, la Cheminée de glace, le Bivouac de la mort, l'Araignée blanche — sont familiers à tous les alpinistes, de Tokyo à Buenos Aires. A la seule mention de ces noms, tout grimpeur sent ses paumes devenir moites. Les chutes de pierres et les avalanches qui surviennent continuellement sur le Nordwand sont célèbres. Tout comme le mauvais temps. Même quand le ciel est bleu sur tout le reste de l'Europe, de violentes tempêtes s'abattent sur l'Eiger, semblables à ces masses de nuages noirs qui stagnent au-dessus des châteaux transylvaniens dans les films de vampires.

Inutile de préciser que tout cela fait de la face nord de l'Eiger l'une des escalades les plus recherchées.

1. « Mur nord », en allemand. Nom donné par les alpinistes à la face nord de l'Eiger. (*N.d.T.*)

La première ascension réussie du Nordwand eut lieu en 1938. Depuis, il y en a eu plus de cent cinquante et, parmi elles, en 1983, une escalade en solitaire effectuée en cinq heures et demie. Mais n'allez surtout pas dire au sergent Carlos J. Ragone, de l'US Air Force, que l'Eiger est devenu une balade touristique.

Derniers arrivés sur la montagne, Marc Twight et moi étions assis devant nos tentes au-dessus de la Petite Scheidegg — cet agglomérat d'hôtels et de restaurants blotti au pied de l'Eiger — quand nous vîmes arriver un homme porteur d'un volumineux paquetage. Répondant au nom de Carlos Ragone, il annonça qu'il était venu pour escalader le Nordwand. Au cours de la conversation, nous apprîmes qu'il avait quitté sans autorisation sa base aérienne en Angleterre. Son commandant, ayant eu vent de son projet, avait refusé de lui accorder une permission, mais Ragone était parti quand même. « Cette tentative va sans doute me coûter mes galons, nous confia-t-il, mais, d'un autre côté, si j'arrive en haut, il se peut qu'ils me fassent monter en grade. »

Malheureusement, Ragone n'arriva pas en haut. Dans le livre des records suisses, ce mois de septembre figura comme le plus arrosé que le pays ait connu depuis 1864. Sur la montagne, les conditions étaient épouvantables, pires encore que d'habitude. Le givre formait sur la paroi un emplâtre recouvert de neige instable et la météo annonçait encore de la neige ainsi que des vents violents. Ces circonstances défavorables avaient dissuadé les deux partenaires de Ragone de faire le voyage. Cependant le sergent n'était pas homme à se laisser décourager par le manque de compagnie. Le 3 octobre, il partit tout seul. Il parvint presque en haut du passage appelé le Premier Pilier, dans la partie inférieure de la face, mais là, il fit un faux pas. Ses piolets et ses crampons ripèrent sur la glace friable et Ragone partit en vol plané. Il toucha le sol cent cinquante mètres plus bas.

Par une chance incroyable, sa chute fut amortie par une épaisse couche de poudreuse qui s'était formée au pied de la muraille. C'est ce qui lui permit de se relever sans autres dommages que des contusions et une douleur dans le dos. En boitillant dans le blizzard, il parvint au Bahnhof Buffet, demanda une chambre, y monta et s'endormit aussitôt. Seulement, au cours de sa chute, il avait perdu l'un de ses deux piolets et son portefeuille, qui contenait ses papiers et son argent. Le lendemain matin, au moment de payer sa note, Ragone ne put offrir en guise de paiement que le piolet qui lui restait, ce qui ne fut pas du goût du gérant de l'hôtel. Avant de quitter discrètement la Petite Scheidegg, Ragone fit une halte à notre campement pour nous demander si nous étions intéressés par ce qui restait de son équipement. Nous lui répondîmes que nous aurions bien aimé le dépanner mais que nous étions nous-mêmes quelque peu à court d'argent. Ragone, estimant qu'il n'aurait plus envie de grimper pendant quelque temps, nous déclara qu'il désirait seulement nous offrir ses instruments d'escalade. Puis, jetant un dernier coup d'œil vers le Nordwand, il prononça ces mots : « Cette montagne est une saloperie. » Ensuite, il repartit dans la neige en direction de l'Angleterre, où l'attendait la colère de son commandant.

Tout comme Ragone, Marc et moi étions venus en Suisse pour entreprendre l'escalade du Nordwand. Marc, de huit ans plus jeune que moi, arborait deux anneaux à l'oreille gauche et ses cheveux teints en violet auraient fait la fierté d'un punk. C'était, comme moi, un passionné de la montagne, mais l'une des choses qui nous différenciaient, c'est qu'il voulait à tout prix faire l'ascension de l'Eiger tandis que je voulais seulement l'avoir tentée. Cela tenait au fait que Marc était encore à l'âge où une surabondance de forces vitales masque les émotions — telle la peur. Il avait tendance à confondre une escalade dangereuse, peut-être mortelle, avec un simple amusement. Par amitié pour lui, je prévoyais de lui laisser prendre la tête dans les passages les plus « amusants » du Nordwand.

Contrairement à Ragone, Marc et moi n'avions pas l'intention de nous attaquer à la paroi tant que les conditions atmosphériques ne se seraient pas améliorées. En raison de la forme concave du Nordwand, il y a peu d'endroits qui ne sont pas exposés à des avalanches quand il neige. Pendant l'été, si tout va bien, une forte équipe fait l'ascension en deux jours, parfois trois. En automne, les jours étant plus courts et le temps plus froid, il faut généralement trois ou quatre jours. Nous pensions donc que, pour aller au sommet et en redescendre sans incident majeur, nous avions besoin d'au moins quatre jours consécutifs de beau temps. Un jour pour que le manteau neigeux s'effondre en avalanches et trois pour escalader la face nord et redescendre par le versant ouest.

A la Petite Scheidegg, chaque matin, nous rampions hors de nos tentes, traversions les bourrasques de neige jusqu'au Bahnhof et là, nous téléphonions à Genève et à Zurich pour avoir les prévisions météo des quatre jours suivants. La réponse était toujours la même : temps instable, avec pluie dans les vallées et neige en altitude. Nous en étions réduits à maudire le ciel et à prolonger notre attente, notre horrible attente. Durant ces jours d'inaction, le mythe de l'Eiger pesait lourdement sur notre esprit, jusqu'à l'obsession.

Un après-midi, pour nous changer les idées, nous prîmes le train qui monte jusqu'à Jungfraujoch. C'est un train à crémaillère qui relie la Petite Scheidegg à un col élevé sur le massif de l'Eiger-Jungfrau. Cette sortie fut une erreur. Le train traverse le flanc de l'Eiger au moyen d'un tunnel percé en 1912. Au milieu du trajet, il y a une station intermédiaire pourvue d'une série d'énormes ouvertures qui donnent sur la paroi verticale du Nordwand.

Depuis ces fenêtres, la vue est si impressionnante que des filets de protection ont été installés sur leur rebord. La roche noire du Nordwand, gainée de givre, laisse pendre des glaçons sur les parties en surplomb; elle descend vertigineusement puis disparaît dans la brume. De temps à autre survient une petite avalanche. Si notre route devait passer par un endroit semblable à celui que nous avions sous les yeux, nous allions nous trouver dans de sérieuses difficultés. Une escalade de cette sorte paraissait une entreprise désespérée, sinon absolument impossible.

Sur l'Eiger, les effets de l'imagination ont tendance à interférer avec le réel et la station Eigerwand me rappelait un peu trop un rêve récurrent qui m'a poursuivi pendant plusieurs années. Au cours d'une escalade interminable, je lutte dans la tourmente lorsque soudain une porte s'ouvre dans le flanc de la montagne. Elle donne accès à une pièce douillette, pourvue d'une cheminée, d'un lit et de tables sur lesquelles fument des plats. En général, dans le rêve, la porte est fermée à clé.

Il se trouve que dans la paroi du tunnel, à quatre cents mètres de la station intermédiaire, il y a effectivement une petite porte en bois, toujours ouverte, qui donne directement sur le Nordwand. L'itinéraire classique passe tout près de cette porte, qui a permis à plus d'un grimpeur d'échapper à la tempête.

Cependant, cette issue de secours comporte elle-même ses dangers. En 1981, Mugs Stump, l'un des meilleurs alpinistes américains, s'engouffra par cette porte après que la tourmente l'eut contraint à mettre un terme à sa tentative d'ascension en solitaire. Il se mit à marcher vers l'entrée du tunnel située à un kilomètre et demi de là. Mais avant qu'il puisse atteindre la lumière du jour, il aperçut un train qui montait vers lui. Le cœur de l'Eiger est constitué d'un calcaire noir très dur et donc difficile à percer. Aussi, ceux qui ont foré le tunnel ne l'ont-ils pas fait plus large que nécessaire. Stump comprit rapidement que l'espace disponible entre les wagons et la paroi était d'environ trente centimètres. Il comprit également que dans un pays où l'on tire une si grande fierté de l'exactitude des trains, le conducteur n'allait pas modifier son horaire sous prétexte qu'un imbécile de grimpeur se trouvait sur la voie. La seule solution était de se coller contre la roche en retenant sa respiration. Le train passa. Stump survécut. Mais cette expérience fut aussi angoissante que les situations périlleuses qu'il avait connues pendant son escalade.

Au cours de notre troisième semaine d'attente, Marc et moi prîmes le train jusqu'à Wengen et Lauterbrunnen dans l'intention d'échapper momentanément à la neige. Après une journée agréable passée à contempler le paysage et à boire de la Rugenbrau, nous ratâmes le dernier train qui remontait à la Petite Scheidegg, ce qui nous contraignait à effectuer une longue marche pour rejoindre nos tentes. Marc partit à vive allure, bien décidé à atteindre le campement avant la nuit. Quant à moi, je n'étais guère pressé de retourner auprès de l'Eiger et de ses tempêtes de neige, et considérais qu'une ou deux bières supplémentaires rendraient le trajet plus facile.

Lorsque je quittai Wengen, il faisait nuit noire, mais les sentiers de l'Oberland, bien que raides, sont larges, bien entretenus et faciles à suivre. Mieux encore, on n'y trouvait pas ces clôtures électrifiées dont Marc et moi avions fait l'expérience, après avoir raté un autre train, en marchant par une nuit pluvieuse de la semaine précédente entre Grindelwald et la Petite Scheidegg. Installées pour retenir les bovins dans leurs pâturages, ces clôtures sont impossibles à distinguer dans l'obscurité après quelques bières. Elles touchent un corps humain de stature normale en un point précis d'une grande sensibilité, à quinze centimètres au-dessous de la ceinture. Quand vous êtes chaussé de tennis détrempées, le voltage serait suffisant pour vous faire confesser n'importe quel crime réel ou imaginaire.

Cette fois, j'effectuai le trajet sans incident. Du moins jusqu'à l'approche d'une ligne d'arbres. Là, je perçus un rugissement intermittent, comme si quelqu'un cherchait à imiter les réacteurs d'un Boeing 747. C'est au moment où je contournais l'épaule du Lauberhorn pour me diriger vers Wengernalp que le vent m'atteignit. Une rafale sortie de nulle part me renversa d'un seul coup sur les fesses. C'était le fœhn qui descendait de l'Eiger.

Le fœhn — un vent de l'Oberland bernois — est un cousin germain de la Santa Ana, qui dévaste périodiquement le sud de la Californie, et du chinook, qui souffle dans les Rocheuses du Colorado. Il possède une puissance stupéfiante. On dit qu'il produit une telle quantité d'ions positifs qu'il peut rendre fou. Selon

Joan Didion, dans *A petits pas vers Bethlehem,* «le taux de suicide augmente pendant le fœhn et dans certains cantons suisses les tribunaux considèrent ce vent comme une circonstance atténuante en cas de crime». Le fœhn joue un rôle important sur l'Eiger. C'est un vent sec, relativement doux, qui, en faisant fondre la neige et la glace sur la montagne, déclenche de terribles avalanches. En général, immédiatement après un *Fœhnsturm,* une tempête de fœhn, survient une gelée intense qui recouvre la paroi d'une dangereuse et trompeuse couche de verglas. Bien des catastrophes survenues sur le Nordwand peuvent être directement imputées au fœhn. Dans *The Eiger Sanction,* Eastwood passe tout près de la mort à cause de ce vent.

Il me fallait donc affronter le fœhn sur ce chemin qui traversait des pâtures et je tremblais en pensant à ce que cela pouvait être sur le Nordwand. Le vent me jetait des gravillons dans les yeux et me renversait sans arrêt. A plusieurs reprises, je dus m'agenouiller en attendant une rémission entre les rafales. Quand, enfin, je pus pousser la porte du Bahnhof à la Petite Scheidegg, je trouvai l'endroit encombré d'employés de chemin de fer, de cuisiniers, de serveuses et de touristes surpris par la tourmente. Mais le vent qui se déchaînait dehors paraissait avoir insufflé à tous ceux qui étaient là une énergie étrange. A un endroit, une querelle battait son plein; dans un coin, un groupe dansait dans les hurlements du juke-box; dans un autre, des gens debout sur les tables chantaient des chansons à boire en allemand. Ils ne cessaient d'appeler le serveur pour réclamer de la bière et du schnaps.

J'étais sur le point de me joindre aux réjouissances quand je vis approcher Marc dont le regard ne disait rien de bon.

« Jon, hurla-t-il, les tentes sont parties !

— Hé, ce n'est pas un problème que je souhaite aborder à l'heure qu'il est, répliquai-je en essayant de faire signe au serveur. Prenons une chambre pour la nuit, nous remonterons les tentes demain...

— Non, non, tu ne comprends pas. Elles ne se sont pas simplement effondrées, elles ont été emportées ! J'ai retrouvé la jaune à cinquante mètres mais la marron a disparu. Je l'ai cherchée, elle n'est nulle part. A présent, elle est probablement descendue à Grindelwald. »

Nous avions fixé les tentes à des pièces de bois et à des blocs de béton, et nous les avions brochées au sol gelé. A l'intérieur, au moins cent kilos de nourriture et de matériel étaient entreposés. Il paraissait impossible que le vent les ait emportées. Et pourtant, c'est ce qui s'était produit. La tente qui manquait contenait nos sacs de couchage, des vêtements, mes chaussures d'escalade, le réchaud et les gamelles, de la nourriture et Dieu sait quoi encore. Si nous ne la retrouvions pas, nous aurions attendu en vain pendant des semaines le moment de faire l'ascension du Nordwand. Aussi remontai-je la fermeture éclair de mon coupe-vent et sortis-je dans le *Fœhnsturm.*

C'est par pur hasard que je retrouvai la tente, à quatre cents mètres de son emplacement, en plein milieu de la voie de chemin de fer qui conduit à Grindelwald. C'était un méli-mélo de toile de Nylon déchirée et de piquets tordus ou brisés. Après avoir tant bien que mal rapporté le tout au Bahnhof, nous découvrîmes que le butane du réchaud s'était répandu partout et qu'une douzaine d'œufs avaient enduit nos vêtements et nos sacs de couchage d'une substance poisseuse qui puait le soufre. Mais nous constatâmes qu'aucun équipement important n'avait disparu pendant le périple de notre tente au-dessus de la Petite Scheidegg. Nous jetâmes donc le tout dans un coin et rejoignîmes la compagnie pour fêter la bonne nouvelle.

Cette nuit-là, le vent souffla à 170 km/h. Outre notre campement, il détruisit le gros télescope placé sur le balcon de la boutique de souvenirs et il projeta une cabine de téléski grosse comme un camion sur le sentier qui passe devant le Bahnhof. Cependant, à minuit, la tempête cessa. Dans le même temps, la température plongea et, au petit matin, trente centimètres de poudreuse avaient remplacé les paquets de neige formés par le fœhn. Néanmoins, lorsque nous téléphonâmes à la station météo de Genève, nous eûmes la surprise d'apprendre qu'une longue période de beau temps allait arriver deux jours plus tard. « Doux Jésus, me dis-je, il va vraiment falloir escalader cette montagne. »

Le soleil fit son apparition le 8 octobre et les météorologistes certifiaient qu'il n'y aurait pas de précipitations pendant au moins cinq jours. Nous laissâmes la matinée au Nordwand pour qu'il se débarrasse des accumulations de neige formées par le fœhn puis nous nous mîmes en route, à travers des congères qui nous arrivaient en haut des cuisses, pour atteindre le point de départ de notre itinéraire où nous installâmes rapidement une tente rafistolée. Nous nous glissâmes de bonne heure dans nos sacs de couchage, mais j'avais trop peur pour espérer dormir.

A l'heure fixée pour le départ, trois heures du matin, il pleuvait et des chutes de pierres et de glaçons se produisaient sur la face nord. Pas question de partir. Secrètement soulagé, je me recouchai et sombrai aussitôt dans un profond sommeil. Je me réveillai à neuf heures, dans le gazouillement des oiseaux. Il faisait à nouveau un temps parfait. Rapidement, nous rassemblâmes nos affaires, mais, au moment de commencer l'escalade du Nordwand, j'avais l'impression qu'un chien m'avait mâché l'estomac pendant toute la nuit.

Des amis qui avaient fait cette ascension nous avaient dit que le premier tiers de la route habituelle était «facile». Ce n'était pas le cas, du moins dans l'état où nous l'avons trouvée. Bien qu'il y eût peu de passages techniquement ardus, l'escalade était constamment dangereuse. Une pellicule de glace recouvrait une épaisse couche de poudreuse instable. On comprenait aisément comment Ragone avait pu tomber. A chaque instant, nous avions l'impression que la neige allait céder sous nos pieds. Là où la paroi devenait plus raide, la couche de neige était plus mince et nos piolets heurtaient le roc à quelques centimètres sous la croûte glacée. Il était impossible de trouver un point d'ancrage de quelque sorte que ce soit, ni sur la roche, ni dans la neige, ni dans la glace trop friable qui la recouvrait. C'est pourquoi, pendant les soixante premiers mètres, nous laissâmes nos cordes dans nos sacs à dos et montâmes chacun en solo.

Nos sacs, encombrants et pesants, menaçaient de nous entraîner en arrière chaque fois que nous nous redressions pour chercher la route au-dessus de nous. Dans un premier temps, nous nous étions efforcés de réduire notre charge en n'emportant que les objets essentiels, mais, par crainte de nous trouver immobilisés par une tempête, nous y avions ajouté de la nourriture, du carburant, des vêtements, ainsi que des équipements d'escalade à faire sombrer un navire. Néanmoins, le choix n'avait pas été facile. Marc avait préféré emporter un baladeur et deux cassettes plutôt qu'un duvet, considérant que, dans une situation désespérée, la paix de l'âme que lui apporterait la musique serait plus importante qu'une simple sensation de chaleur.

A quatre heures de l'après-midi, nous atteignîmes la masse surplombante de la Paroi rouge, où nous pûmes enfin fixer quelques ancrages solides, les premiers de notre ascension. Le surplomb offrait une protection contre les objets non identifiés qui tombaient de temps à autre. C'est d'ailleurs ce qui nous décida à installer notre bivouac à cet endroit, bien qu'il y eût encore plus d'une heure de jour. En nettoyant de sa couche de neige une longue et étroite plate-forme, nous pûmes nous installer dans une position relativement confortable, tête contre tête, le réchaud entre nous.

Le lendemain, nous nous levâmes à trois heures et quittâmes notre petite vire une heure avant l'aube en grimpant à la lueur de nos lampes. A une cordée au-dessus du bivouac, Marc prit la tête sur une pente de difficulté moyenne. Aussi m'alarmai-je quand je le vis hésiter en marmonnant. Il essaya de passer par la droite, puis par la gauche, mais une couche de glace friable, pas plus épaisse qu'une coquille d'œuf, dissimulait les prises, si toutefois il y en avait. Avec une lenteur désespérante, il réussit à progresser centimètre par centimètre en enfonçant crampons et piolets dans le calcaire dissimulé par le givre. A cinq reprises, il glissa mais se rattrapa à chaque fois après une chute d'un mètre.

Marc tâtonna ainsi pendant deux heures au-dessus de moi. Quand le soleil se leva, je devins impatient. « Marc, lui criai-je, si tu ne peux pas prendre la tête, redescends, je m'en charge ! » Cela fit son effet. Il repartit à l'assaut avec une détermination toute neuve et parvint en haut de la pente. Néanmoins, en le rejoignant au relais, j'étais inquiet. Il nous avait fallu presque trois heures pour franchir vingt-cinq mètres. Or le Nordwand représente une escalade d'environ 2400 mètres (avec les traversées) et la plus grande partie du trajet serait bien plus difficile que ces vingt-cinq mètres.

L'étape suivante était la tristement célèbre Traversée Hinterstoisser, une course contre la mort de quarante mètres entre des surplombs infranchissables mais passage obligé pour accéder à la partie supérieure du Nordwand. C'est Andreas Hinterstoisser qui fut le premier à la franchir, en 1936. L'itinéraire qu'il a établi sur cette roche lisse constitue un brillant exploit. Mais, avec ses trois camarades, il fut surpris par une tempête au-dessus de la Traversée. Il fallait redescendre. Malheureusement, le verglas avait entre-temps recouvert le passage et les grimpeurs ne purent revenir sur leurs pas. Ils périrent tous les quatre. Depuis ce désastre, les alpinistes ont toujours pris la peine de fixer une corde sur la Traversée en prévision du retour.

Nous trouvâmes la muraille recouverte d'une couche de glace de cinq centimètres. Bien que fine, elle était assez résistante pour retenir nos piolets, à condition de les manier délicatement. De surcroît, une vieille corde effilochée émergeait çà et là sur la surface vitrifiée. En cramponnant avec circonspection sur la glace et en saisissant la corde sans fausse honte chaque fois que c'était possible, nous parvînmes à franchir la Traversée sans encombre.

Au-dessus, l'itinéraire montait tout droit suivant des passages qui avaient peuplé mes cauchemars depuis l'âge de dix ans : le Nid d'hirondelles, le Premier Névé, la Cheminée de glace. A aucun moment l'ascension ne fut aussi difficile que là où Marc avait pris la tête, juste avant la Traversée Hinterstoisser, mais nous avions rarement la possibilité de trouver des points d'ancrage. Si l'un de nous deux avait glissé, nous serions tombés ensemble jusqu'à la base du Nordwand.

A mesure que la journée avançait, je me sentais de plus en plus tendu. A un endroit, alors que j'étais en tête sur la glace verticale — une croûte friable — de la Cheminée de glace, je fus soudain envahi par l'idée que la seule chose qui m'empêchait de partir en vol plané dans le vide consistait en deux petites pointes d'acier enfoncées dans un centimètre et demi d'une matière qui ressemblait à ce qui recouvre l'intérieur de mon congélateur quand il a besoin d'être dégivré. En regardant vers le bas, j'aperçus le sol, à plus de neuf cents mètres. Cela me donna un tel vertige que je crus que j'allais m'évanouir. Je dus fermer les yeux et respirer profondément une dizaine de fois avant de reprendre l'escalade.

A cinquante mètres au-dessus de la Cheminée de glace, nous arrivâmes au pied du Deuxième Névé. Nous étions à mi-chemin du sommet. Plus haut, le seul endroit où nous pourrions passer la nuit serait le Bivouac de la mort — la vire où Max Sedlmayer et Karl Mehringer avaient perdu la vie au cours d'une tempête pendant la première tentative d'ascension du Nordwand en 1935. Malgré son sinistre nom, le Bivouac de la mort est sans doute le bivouac le plus sûr et le plus confortable de la face nord. Mais, pour y parvenir, il fallait encore faire une traversée ascendante de six cents mètres sur le Deuxième Névé puis suivre une route tortueuse jusqu'au sommet d'un pilier nommé le Fer à repasser.

Il était une heure de l'après-midi. Depuis notre départ du bivouac de la Paroi rouge, nous avions mis huit heures pour franchir un peu plus de quatre cents mètres. Même si le Deuxième Névé paraissait facile, ce ne serait pas le cas pour le Fer à repasser et je doutais sérieusement que nous puissions atteindre le Bivouac de la mort — situé à six cents mètres de là — dans les cinq heures de jour qui nous restaient. Si l'obscurité nous surprenait avant le Bivouac de la mort, nous n'aurions aucune vire pour passer la nuit et nous serions exposés aux avalanches et aux chutes de pierres provenant du passage le plus célèbre du Nordwand, ce glacier suspendu que l'on appelle l'Araignée blanche.

« Marc ! Il faut redescendre ! criai-je.

— Comment ? Pourquoi ? » répondit-il, interloqué.

Je lui donnai mes raisons : notre allure trop lente, la distance jusqu'au Bivouac de la mort, le mauvais état de la paroi, et enfin le danger des avalanches qui serait de plus en plus grand à mesure que le jour avancerait et que la température monterait. Tandis que nous parlions, de petites avalanches venues de l'Araignée passèrent en pluie près de nous. Un quart d'heure plus tard, Marc admit à regret que j'avais raison, et nous entamâmes notre descente.

Chaque fois que nous retrouvions des pitons d'assurage, nous descendions en rappel. Au coucher du soleil, en dessous de la Difficile Fissure, Marc découvrit une grotte où nous pourrions passer la nuit. A ce moment, nous comprenions après coup ce que signifiait notre décision de redescendre, aussi la soirée se passa-t-elle sans grand échange de paroles.

A l'aube, juste après avoir repris la descente, nous entendîmes des voix qui venaient d'en bas et bientôt nous vîmes apparaître deux grimpeurs — un homme et une femme — montant rapidement les marches que nous avions creusées deux jours auparavant. A leurs gestes pleins d'aisance, on devinait que c'étaient deux excellents grimpeurs. L'homme n'était autre que Christophe Profit. Il nous remercia d'avoir creusé toutes ces marches, puis il repartit avec sa compagne vers la Difficile Fissure en progressant à une vitesse stupéfiante.

Ainsi, le lendemain du jour où nous avions renoncé à cause de l'état de la paroi, voilà que deux grimpeurs français s'élançaient vers le sommet comme s'il s'agissait d'une promenade dominicale. Je jetai un coup d'œil à Marc. Il paraissait au bord des larmes. A partir de ce moment, nous poursuivîmes notre descente, si éprouvante pour les nerfs, par des voies séparées.

Deux heures plus tard, quand mes pieds touchèrent la neige entassée à la base de la muraille, le soulagement m'envahit par vagues progressives. L'étau qui jusque-là m'avait serré les tempes et compressé le ventre disparut d'un seul coup. Bon Dieu ! J'étais vivant ! Je m'assis dans la neige en éclatant de rire.

Marc m'attendait sur un rocher, à quelques centaines de mètres. Quand je le rejoignis, je vis qu'il pleurait. Et ce n'étaient pas des larmes de joie. Pour lui, le simple fait d'avoir survécu ne suffisait pas. « Hé ! m'entendis-je lui dire, si les mangeurs de grenouilles arrivent en haut, nous pourrons toujours aller chercher de la nourriture à Wengen et remonter. » Il fut aussitôt ragaillardi par cette suggestion et, avant que j'aie pu me rétracter, il se précipitait déjà vers la tente pour suivre à la jumelle la progression des deux Français.

Finalement, la chance tourna en ma faveur. Christophe Profit et sa partenaire n'atteignirent que la Paroi rouge — le lieu de notre premier bivouac —, et à ce moment même une grosse avalanche qui passa tout près d'eux les convainquit de redescendre également.

Le lendemain, avant que la chance puisse tourner à nouveau, j'étais dans l'avion qui me ramenait chez moi.

2

JOHN GILL

A l'ouest de Pueblo, dans le Colorado, les Grandes Plaines conduisent aux premières ondulations des montagnes Rocheuses. Là, dans une prairie desséchée, parmi les chênes verts et les cactus, s'élève à une hauteur de quatre mètres cinquante un bloc de pierre massif dont la texture et la couleur rappellent celles de la brique usée. Ce roc est bien plus large que haut. Avec ses flancs légèrement surplombants, il émerge du sable comme la coque rouillée d'un navire qui se serait échoué là il y a bien longtemps. Pour un œil non exercé, sa surface semble presque lisse. Une petite bosse arrondie ici et là, quelques trous minuscules et, par endroits, une vire de la largeur d'un crayon. Il paraît impossible d'escalader ce gros morceau de grès. C'est précisément ce qui a éveillé l'intérêt de John Gill.

Il se talque les doigts comme un gymnaste et marche, concentré, jusqu'au pied du bloc. Comme par lévitation, en s'accrochant à de petites entailles et en se tenant en équilibre sur des protubérances de la taille d'un petit pois, il parvient à s'élever au-dessus du sol. Pour lui, la paroi abrupte du bloc est un puzzle qui se résout par la force des doigts, par des déplacements inventifs et par la volonté. Pièce par pièce, il construit son puzzle en déplaçant délicatement son corps d'une prise imperceptible à l'autre jusqu'au moment où il se trouve accroché par le bout des doigts à un mètre au-dessous de la crête. On a l'impression qu'il est coincé. Ses pieds se balancent inutilement dans le vide et sa position est si précaire qu'il ne peut déplacer une main pour essayer d'aller plus haut sans risquer de tomber.

Le visage d'un calme presque béat, qui ne révèle rien de la terrible tension de ses muscles, Gill fixe le sommet, abaisse légèrement les épaules et, prenant appui sur ses prises dérisoires, se hausse d'un seul coup vers la crête. Son corps semble s'envoler. Il s'élève de quelques dizaines de centimètres et, juste au moment où il va commencer à retomber, sa main gauche agrippe la crête comme un serpent qui mord un rat, et s'y cramponne. Quelques secondes plus tard, Gill est debout sur le sommet.

Parmi les grimpeurs des trois continents, une aura légendaire entoure la figure de John Gill. Il est admiré par l'élite de la montagne. Un alpiniste conquiert habituellement la célébrité par des exploits dans l'Himalaya, en Alaska, dans les Alpes ou sur l'immense muraille de granit du Yosemite. La réputation de Gill repose uniquement sur des ascensions de moins de dix mètres. En n'escaladant rien d'autre que des blocs, il a rejoint des hommes comme Hermann Buhl, Sir Edmund Hillary, Royal Robbins et Reinhold Messner.

Mais ne nous y trompons pas. Ce n'est pas parce que les ascensions de Gill sont modestes qu'elles sont aisées. Les blocs qu'il affronte sont souvent surplombants et dépourvus de fissures ou de rugosités suffisantes pour être perçues par des grimpeurs de moindre envergure. En fait, ce sont tous les défis d'une montagne qui se trouvent concentrés dans un bloc de granit ou de grès de la taille d'un camion-benne ou d'un petit pavillon de banlieue. On peut dire sans exagération que la plupart des grimpeurs pourraient plus facilement atteindre le sommet de l'Everest que celui de n'importe lequel des blocs auxquels Gill s'attaque.

En réalité, pour lui, ce ne sont pas les sommets qui importent le plus. A ses yeux, le véritable plaisir de l'escalade des blocs réside davantage dans la manière que dans le simple fait d'atteindre le but. « Pour le grimpeur de blocs, déclare Gill, la forme compte plus que le succès lui-même. Ce n'est pas vraiment un sport. C'est de l'escalade avec des nuances philosophique, mystique et métaphysique. »

Gill a un peu plus de cinquante ans. C'est un homme grand, svelte, avec des yeux tristes et des gestes délicats et précautionneux. Il parle comme il se déplace, de façon lente et réfléchie, en se servant de mots précis et de phrases parfaitement construites.

En compagnie de sa femme Dorothy, et d'une foule d'animaux qu'il affecte de traiter avec dédain, il habite une maison à un étage toute simple à Pueblo, une ville industrielle écrasée de soleil qui a connu des jours meilleurs. A l'exception de ses bras et de ses épaules quelque peu surdimensionnés, rien dans son allure ou dans son aspect physique ne révèle qu'il est l'homme dont les exploits ont fait dire qu'il avait découvert une exception majeure aux lois de la pesanteur. Ses cheveux qui s'éclaircissent et sa petite barbiche bien soignée lui donnent l'air d'un professeur de mathématiques. Ce qu'il est, d'ailleurs.

Que Gill soit à la fois un maître grimpeur de blocs et un mathématicien n'est nullement une coïncidence ; entre ces deux activités apparemment sans lien il perçoit une relation significative : « Quand j'ai commencé l'escalade, j'ai rencontré plusieurs autres grimpeurs qui étaient des chercheurs en mathématiques. Je me suis demandé : "Comment se fait-il que dans le petit nombre de gens qui pratiquent l'escalade il s'en trouve tant qui soient mathématiciens ?" Même si, de ces deux activités, l'une est entièrement cérébrale et l'autre principalement physique, il y a un point commun entre l'escalade des blocs et la recherche mathématique. Je pense que cela a un rapport avec la reconnaissance des formes, avec un don naturel pour l'analyse des formes. »

Et il ajoute que des problèmes mathématiques qui ont l'air insolubles parviennent à être résolus par des « sauts intuitifs ». La même chose se produit dans l'escalade des blocs. Ce n'est pas un hasard si, dans le jargon des grimpeurs, les escalades sont appelées des « problèmes ». On dit par exemple : « Sais-tu que Kauk a finalement résolu ce difficile problème, de l'autre côté du fleuve ? Celui devant lequel tous les Européens ont échoué. »

Qu'il s'agisse d'un bloc de grès surplombant ou de la démonstration d'un théorème improbable, les problèmes que Gill préfère sont les problèmes non résolus : « J'aime découvrir un rocher qui n'a jamais été escaladé, observer quelles prises offre sa surface, puis grimper. Et, bien entendu, plus les prises sont difficiles à distinguer, plus le rocher présente de difficultés apparentes, plus grande est la satisfaction. Il y a peut-être là, dans ce bloc, quelque chose qui peut donner lieu à création si on utilise son intuition pour faire le bond en avant de la découverte. On s'aperçoit alors que l'itinéraire d'ascension d'un bloc se découvre non pas en examinant chaque prise l'une après l'autre mais en prenant une vue d'ensemble du problème. »

Pour les grimpeurs de blocs ambitieux, tout comme

pour les mathématiciens ambitieux, insiste mon interlocuteur, il ne suffit pas de résoudre un problème particulier : « Dans les deux cas, il s'agit de parvenir à un résultat intéressant — l'idéal est un résultat inattendu — d'une manière élégante, en procédant avec facilité, avec une surprenante simplicité. C'est en cela que réside le style. »

« Bien plus, ajoute-t-il, pour être un grimpeur de blocs ou un chercheur en mathématiques, il faut posséder cette inclination naturelle à creuser un problème, cette forte incitation intérieure à aller au-delà, à découvrir du nouveau. Dans l'une et l'autre activité, la récompense de cet effort est un progrès personnel presque continu, et c'est enthousiasmant. »

Fils unique d'un professeur d'université qui changeait fréquemment d'affectation, Gill décrit son enfance comme « un peu solitaire de temps à autre ». « Je n'ai jamais été un sportif, je n'ai jamais participé à des sports organisés. » Il s'est beaucoup promené tout seul dans les bois, où il adorait grimper aux arbres. Ses parents lui ont raconté que, quand il avait sept ou huit ans et qu'ils étaient en vacances, il leur demandait d'arrêter la voiture lorsque la route longeait un talus pour qu'il puisse y grimper.

« Au lycée, poursuit-il, je chantais dans la chorale. Il m'arrivait d'être passablement ennuyeux. » Néanmoins, à Atlanta, il rencontra une fille qui avait pratiqué l'escalade dans l'Ouest. Un week-end, elle l'invita à une escalade de rochers, organisée par un groupe d'étudiants, dans le nord de la Géorgie. Gill commença par observer puis fit une tentative. « J'étais plutôt balourd, se souvient-il, mais je trouvais tout cela terriblement intéressant. Je n'avais jamais éprouvé de sensations plus intenses. Il y avait là quelque chose qui m'attirait réellement. »

En 1954, ses études secondaires terminées, il se rendit dans le Colorado pendant l'été pour pratiquer l'escalade avec un ami. Gill était peut-être encore pataud mais il faisait preuve de témérité : un jour, il réalisa en solitaire l'ascension de la plus grande partie de l'abrupte face est du Longs Peak, jusqu'au moment où un guide de haute montagne, pensant que Gill était l'un de ces touristes sans cervelle qui s'aventurent n'importe où, partit à sa rescousse. Quand il l'eut rattrapé dans la partie supérieure de la montagne, le guide s'entretint un moment avec lui et finalement, confie Gill, « il jugea que je n'étais pas aussi stupide que j'en avais l'air depuis le pied de la montagne, et nous poursuivîmes l'ascension ensemble jusqu'au sommet ». D'autres escalades tout aussi passionnantes s'ensuivirent et, à la fin de l'été, Gill savait qu'il avait trouvé sa vocation.

L'automne suivant, alors qu'il était étudiant de première année à l'université de Géorgie, il dut s'inscrire à un cours de gymnastique. On présenta aux étudiants un film sur les exercices aux anneaux des gymnastes de l'équipe olympique. Lui qui n'en avait encore jamais vu fut stupéfait par l'aisance des gymnastes pendant leur entraînement. « Ils réalisaient des exercices extrêmement difficiles en ayant l'air parfaitement détendus et maîtres d'eux-mêmes. » Ce film lui fit une forte impression. Ce fut même une révélation. L'escalade était-elle autre chose qu'une sorte de gymnastique libre ? pensa-t-il. Et aussitôt il se servit des méthodes de la gymnastique — l'entraînement conçu scientifiquement, la discipline mentale, l'utilisation du talc pour faciliter les prises — afin de faire progresser les techniques de montagne.

Il parcourut les paysages vallonnés de la Géorgie et de l'Alabama à la recherche de rochers à escalader. Etant donné la pénurie de grandes parois dans ces deux Etats, il en vint naturellement à tourner son attention vers les affleurements rocheux et les blocs. Afin d'éviter la monotonie, il mit à profit sa récente initiation à la gymnastique pour tirer tout le parti possible de ces Alpes en miniature. Et c'est ainsi que l'escalade des blocs devint un sport à part entière. Certes, bien longtemps avant Gill, les alpinistes avaient escaladé des blocs, mais ils considéraient cela comme un simple exercice d'entraînement. Gill fut le premier à en faire une fin en soi.

Au cours de ses années d'université, il passa souvent ses vacances d'été dans les Tetons et dans d'autres secteurs des montagnes Rocheuses. Lors de ses premières excursions dans l'Ouest, il escalada nombre de sommets parmi les plus importants, comme le Grand Teton, mais il se sentait enclin à s'intéresser à des rocs de dimensions de plus en plus modestes. Dans le livre de Pat Ament, *Master of Rock,* qui est une monographie consacrée à Gill, Yvon Chouinard évoque l'époque où il le rencontra dans les Tetons, à la fin des années cinquante. Selon lui, Gill faisait alors partie d'un groupe de grimpeurs excentriques qui y passaient les mois d'été pour se consacrer à l'escalade, «vivant avec cinquante *cents* par jour en se nourrissant de flocons d'avoine». D'après Chouinard, il avait déjà renoncé aux sommets : « Ce qu'il faisait relevait de la pure escalade et ne menait nulle part. Aux yeux de l'American Alpine Club, c'étaient des ascensions absurdes. »

Bientôt, Gill abandonna également l'utilisation traditionnelle des cordes et se consacra en solitaire à des blocs peu élevés mais extraordinairement difficiles. Ce qui lui valut une bonne dose de dérision de la part des grimpeurs classiques. Parmi ceux qui lui accordaient encore un peu d'attention, on disait généralement que ses nerfs avaient lâché et qu'il était devenu acrophobique au point de ne plus pouvoir monter à plus de six mètres. En réalité, Gill était engagé dans une quête personnelle intense. Il tentait d'atteindre les limites de la pesanteur, de l'adhérence à la roche, de la force musculaire et mentale, pour voir jusqu'où le conduirait ce type d'escalade.

Il est de notoriété publique que l'alpinisme est un sport qui manque d'instances dirigeantes et de réglementation. Malgré cela, ou peut-être à cause de cela, les grimpeurs américains, associés au sein d'une communauté aux liens très étroits, ont toujours eu des idées très précises sur les principes à respecter et ils exercent une pression insidieuse pour convaincre chaque grimpeur de s'y plier.

«Dès 1957, remarque Gill, j'ai bien compris que la philosophie dominante possède une force très contraignante, capable de vous enfermer dans une certaine perspective, et cela ne me plaisait pas. J'aime par-dessus tout la liberté de l'escalade. J'ai passé mon enfance dans le Sud profond où l'on est entouré d'une épaisse végétation d'arbres et où la brume masque le ciel. Le paysage est quasiment plat. Là-bas, il n'y a pas de face-à-face avec la nature. La première fois que je suis venu dans l'Ouest, ce fut un extraordinaire changement. Je me suis senti submergé par les grands espaces, par la dimension du paysage, par les rochers. Et pour moi, dont l'enfance a été plutôt cloîtrée, l'escalade me faisait connaître la merveilleuse griserie de l'état de nature, une entière liberté de manœuvre parmi ses défis et ses obstacles.

« A partir du moment où j'ai compris la terrible force contraignante d'un courant dominant et celle qu'un groupe peut exercer sur notre expérience de l'escalade, j'ai du même coup pris conscience que je voulais trouver quelque chose de nouveau. Faire entrer ma pratique de l'escalade dans une catégorie bien définie ne m'intéressait pas. Je ne voulais ni marcher sur les traces de quelqu'un, ni obéir à un ensemble de règles, même s'il s'agissait de règles non écrites. Et j'en ai conclu qu'un moyen facile d'éviter les effets réducteurs du courant dominant était de grimper en solitaire. Je me suis aperçu qu'il était très difficile d'expérimenter quelque chose de nouveau en grimpant avec d'autres ou même en partageant un campement. Alors que, quand j'étais tout seul, je vivais de merveilleuses aventures intérieures. »

De nos jours, il n'est pas rare de voir des adolescents, qui en d'autres temps auraient passé tous leurs loisirs sur un terrain de softball ou de basket, prendre leurs chaussons taille basse et leur sac de talc et partir vers les blocs. Grâce à la facilité d'accès qu'offre cette activité, à son apparente simplicité, aux émotions intenses qu'elle provoque dès l'abord, l'ascension de blocs est maintenant très en vogue. On pourrait aisément oublier que, voici trente ans, en se spécialisant dans l'escalade minimaliste, Gill a lutté seul contre un puissant courant dominant. Aujourd'hui, il prévient les autres grimpeurs de blocs qu'ils doivent prendre garde à ne pas se laisser enfermer dans une pratique établie. Il incite continuellement les futurs champions de l'escalade à chercher en eux-mêmes leur propre voie.

Dans un article intitulé « Notes sur les blocs. Le chemin vertical », il écrit :

> Il faut nous interroger continuellement sur nos activités d'escalade. Nous ramènent-elles au sein de la communauté des grimpeurs ? Ou bien conduisent-elles au chemin que l'on choisit par soi-même ? Cette question produit une tension que la désillusion ne fait qu'accroître. Finalement, on parvient au vide intérieur et c'est alors que notre nature profonde et spontanée nous conduit au commencement du chemin... A partir de là, on peut se tenir continuellement à l'écart du monde extérieur de l'escalade et cependant y être farouchement impliqué de temps à autre. Les dimensions philosophique et mystique de cette expérience se manifestent quand on peut participer aux deux mondes simultanément.

Par moments, la prose de Gill peut se révéler aussi dense et absconse que ses démonstrations mathématiques, mais, pour ceux qui partagent son obsession des parois verticales, elle sonne clair et vrai. Il n'est pas rare d'entendre de tout jeunes prodiges citer *verbatim* un passage d'un des articles qu'il a rédigés sur les blocs pour une revue d'alpinisme. L'aimable universitaire d'âge moyen est devenu un gourou des blocs, un modèle pour une génération de jeunes gens, garçons et filles, qui portent des collants, ont des anneaux d'or aux narines et grimpent, le baladeur aux oreilles, en écoutant les rythmes apocalyptiques de leur musique préférée.

Il faut le souligner, personne n'aurait accordé la moindre attention à Gill et à ses idées novatrices s'il n'avait été qu'un simple grimpeur de blocs. Si on le considère comme un héros plutôt que comme un excentrique, c'est qu'en certaines occasions il a quitté son chemin mystique personnel pour « s'impliquer avec acharnement » dans les formes traditionnelles de l'escalade où il a démontré qu'il pouvait jouer le jeu comme tout un chacun.

L'escalade peut être un sport où la compétition est sans pitié. L'absence d'épreuves formellement organisées rend difficile l'établissement d'une hiérarchie précise des ascensionnistes. Néanmoins, dans les années cinquante, un système d'évaluation de la difficulté des ascensions fut mis au point dans le sud de la Californie. Etonnamment précis, mais complexe, il permet aux grimpeurs de se faire une idée de leurs aptitudes. Appelé Yosemite Decimal System (YDS), il classe les escalades techniques selon une échelle de difficulté qui allait à l'origine de 5.0 à 5.9.

Quelques années à peine après ses débuts dans l'escalade, Gill atteignit le haut de l'échelle, pour des ascensions conventionnelles avec cordes sur le Disappointment Peak et sur d'autres falaises des Tetons. A la fin des années cinquante, lorsqu'il commença à se consacrer aux blocs, presque tous les problèmes qu'il mit en évidence étaient bien trop difficiles pour figurer dans l'échelle YDS telle qu'elle était alors. Dès cette époque — soit vingt ans avant que cette gradation soit introduite dans le système — le niveau de Gill atteignait 5.12. (Au cours des trente dernières années, comme dans les autres activités sportives, le niveau des performances en escalade s'est considérablement élevé. Dans les années soixante, on introduisit le niveau 5.10, puis 5.11 dans les années soixante-dix, et 5.12, 5.13 puis 5.14 dans les années quatre-vingt.)

En 1961, Gill présenta un problème de bloc dont on

parle encore aujourd'hui : la face nord du Thimble, une pointe rocheuse surplombante de neuf mètres de haut dans les Needles du Dakota du Sud. La voie suivie par Gill sur le Thimble comporte toutes les difficultés d'un véritable problème de bloc : des combinaisons improbables de déplacements exigeant à la fois de la force et de la délicatesse, avec des prises imperceptibles. Qui plus est, l'escalade a lieu juste au-dessus d'un rail qui délimite un parking, ce qui signifie qu'une chute à cet endroit aurait pour conséquence la mort ou pire. Au moment présent, presque trente ans après, l'ascension sans corde de Gill n'a pas fait d'émules. Elle est restée unique dans les annales de l'escalade.

Gill ne sait pas exactement ce qui l'a poussé à escalader le Thimble. « Cette formation rocheuse, dit-il, était belle et très lisse. Elle comportait très peu de prises. A cette époque, je me souciais beaucoup moins que maintenant de la sécurité. Aujourd'hui, j'aurais tendance à prendre une corde pour traverser la rue. Mais en ce temps-là, c'était comme si une part de risque m'était nécessaire, il me fallait quelque chose de difficile. » Après avoir très soigneusement examiné la paroi « en déterminant quelles sortes de mouvements seraient nécessaires pour s'engager dans cette escalade », il suivit un entraînement de gymnastique pendant tout un hiver à la base aérienne du Montana où il était affecté. « J'ai fait des exercices de prise, dit-il, parce que j'avais remarqué qu'il y avait sur la paroi quelques petites excroissances qu'il me faudrait utiliser là où les prises horizontales faisaient défaut, et elles faisaient défaut assez rapidement. J'ai imaginé de petites escalades sur les écrous et les boulons qui dépassaient du mur du gymnase. Je m'agrippais aux boulons et montais. Pendant la plus grande partie de cet hiver-là, je n'ai pensé qu'au Thimble.»

Au printemps suivant, Gill retourna aux Black Hills, où sont situées les Needles, pour effectuer sa tentative. A de nombreuses reprises, il franchit la première moitié du parcours. Il mémorisait les gestes et prenait confiance en lui. Il se «connectait» à la paroi. «A force de monter et descendre, j'entrai dans un tel état de fièvre que je m'engageai dans la partie supérieure et, avec beaucoup de chance, je parvins au sommet. Comme dans bien d'autres sports, on n'est pas seulement motivé pendant l'escalade mais on devient presque hypnotisé, au point d'en avoir l'esprit vide. On grimpe grâce à un instinct soigneusement préparé.»

Cette ascension du Thimble constitua un tournant dans la vie de Gill. Peu de temps après, il se maria et cessa d'entreprendre des ascensions à risque. «Je pense que le risque peut devenir un besoin, explique-t-il, et je ne voulais pas que ce soit le cas pour moi. Quand on entreprend des ascensions où on ne peut pas se permettre de faire une chute, les émotions qu'on éprouve ne font pas que croître, elles changent aussi de nature. C'est difficile à exprimer, mais quand je franchissais sans corde un passage périlleux, je me trouvais dans un état de conscience très particulier. Mes membres devenaient très légers, ma respiration changeait de manière subtile, et je suis sûr que se produisaient en moi des modifications vasculaires dont je n'avais pas vraiment conscience sur le moment. J'ai remarqué que cet état physiologique survenait pendant les ascensions dangereuses. C'était exaltant et très intense, mais presque sur un mode détendu. Il pouvait y avoir des moments de tension, néanmoins il y avait aussi un continuum de relaxation qui durait pendant toute l'escalade. D'une certaine façon c'était fascinant, mais je ne voulais pas en devenir dépendant. »

On peut expliquer la supériorité de Gill sur les autres grimpeurs de blocs par son approche expérimentale et sans idées préconçues. Quand il ne se trouvait pas sur le terrain, il s'entraînait intensivement à la gymnastique, jusqu'à pouvoir hisser tout son corps en prenant appui sur un seul doigt. Ayant étudié le bouddhisme zen pendant longtemps, il se préparait mentalement avec autant de soin que physiquement. Il aimait la méditation et s'était aperçu qu'en fixant toute son attention sur un brin d'herbe ou sur un paysage de montagne avant d'entreprendre une ascension, il libérait son esprit, préparait son corps et trouvait la calme assurance qui lui permettait d'affronter un terrain difficile. A ses yeux, l'un des buts ultimes de l'escalade est de conserver ce calme profond pendant les moments d'extrême tension. « Quand on atteint un degré d'entraînement aussi avancé, on ne fait même plus attention à l'effort physique, et ce n'est qu'à ce stade que l'on acquiert vraiment le sentiment de ce qu'est l'escalade. Quand il faut faire des efforts, on ne ressent jamais la joie du mouvement. Ce n'est que quand on est devenu suffisamment bon et fort que l'on peut parvenir à cette sublime légèreté. Bien entendu, c'est une illusion, mais il est agréable de s'installer dans cette illusion. Face à un problème de bloc, je considère que je n'ai pas entièrement réussi tant que je n'atteins pas cette sensation de légèreté. »

Bien qu'à cinquante-quatre ans Gill soit encore capable de résoudre quelques problèmes de bloc devant lesquels échouent des athlètes de vingt-deux ans parfaitement aguerris, il cherche de plus en plus, depuis une vingtaine d'années, d'autres objectifs que la simple difficulté. Selon ses propres termes, il essaie de « trouver le moyen d'obtenir toujours plus avec toujours moins ». Contrairement à sa réputation de ne jamais grimper plus haut que neuf mètres, il réalise régulièrement des ascensions — en solitaire et sans corde — sur des falaises de deux cent cinquante mètres qui se trouvent près de chez lui. Il les considère comme des voies faciles qui lui servent d'exercice de « méditation kinesthésique ».

« Je pense que j'ai fait quelques expériences intéressantes, parce que, en un sens, je me suis surentraîné sur ces escalades longues et faciles que je recommence sans cesse. Je possède ces voies à un degré tel que je n'ai pas besoin de penser à l'ascension de manière consciente. La progression et sa forme font tellement partie de moi que j'en oublie qui je suis pour devenir partie intégrante de la roche, et en certaines occasions j'ai vraiment eu l'impression de m'incorporer au rocher. »

Hésitant, il ajoute de sa voix veloutée de baryton :

« Je me demande dans quelle mesure je devrais parler de tout cela. Je ne voudrais pas que les gens croient que je commence à dérailler, mais j'ai la conviction que toutes ces années de préparation physique et mentale que j'ai passées à améliorer à la fois mes qualités de grimpeur et mes aptitudes mathématiques — en me concentrant pendant de longues périodes sur un seul cristal de roche ou en approfondissant un difficile problème de mathématiques — m'ont facilité l'accès à certaines expériences mystiques.

« Au milieu des années soixante-dix, l'un de mes bons amis se prit d'un grand intérêt pour les livres de Carlos Castaneda et essaya de me les faire lire. Comme je n'ai jamais pris de substances hallucinogènes, que les drogues ne m'intéressent pas, je me suis refusé à les lire, pensant qu'ils traitaient uniquement de la drogue. Mais mon ami me convainquit que ce n'était pas le cas. Je les ai donc lus et je les ai trouvés fascinants. Je crois que c'est dans le deuxième livre, mais je n'en suis pas sûr, que le narrateur décrit comment il s'est initié à l'art de rêver. Cela m'a tellement intrigué que j'ai décidé d'essayer et cela a marché *tout de suite!*

«Cet état de rêve, ou état hypnagogique, constitue une autre réalité et comporte plusieurs niveaux. On est entièrement conscient, presque davantage que dans un état de veille normal. Il peut très bien arriver qu'on se sente flotter au-dessus d'une ville, ou qu'on ait d'autres impressions du même genre, mais à d'autres moments tout se passe comme dans l'existence normale où règne la loi de la gravitation; simplement, on se trouve quelque part ailleurs.

«Je me suis aperçu que le meilleur moment pour atteindre cet état hypnagogique, c'est le milieu de la nuit, lorsque je me réveille et que je me rendors lentement. Mais j'ai aussi connu un état du même genre pendant mes ascensions, en particulier lorsque je grimpais en solitaire par ces longues voies faciles en ayant l'impression de ne faire qu'un avec la roche. C'est alors que je m'approche le plus de cette réalité seconde et de ce sentiment de légèreté. La poésie transcendante de l'escalade se trouve là, véritablement. Je considère que faire l'expérience de cet état hypnagogique est bien plus important qu'être capable de vaincre des blocs extrêmement difficiles que personne n'a jamais escaladés.»

Ces derniers temps, le côté métaphysique des blocs et l'expérience intérieure de l'escalade le fascinent plus que jamais. Un jour, après avoir bu un peu de vin, il s'est interrogé sur la possibilité de parvenir à la capacité télékinétique de léviter — ne serait-ce que très légèrement — grâce à une « excellente attitude mentale ».

« Même si cela ne concerne que quelques dizaines de grammes du corps, dit-il, la différence est énorme. J'ai vu des gens dépasser leurs limites. »

Des centaines, peut-être des milliers de grimpeurs expérimentés se sont échinés au pied des blocs de Gill en essayant en vain de décoller du sol. Beaucoup d'entre eux seraient volontiers portés au sarcasme lorsque la conversation aborde la télékinésie et autres sujets semblables. Mais quand c'est Gill qui parle de lévitation, ils écoutent attentivement, très attentivement.

3

LES CASCADES DE GLACE DE VALDEZ

Valdez, petite ville d'Alaska, mérite d'être connue à deux titres. Tout d'abord, en 1964, le jour du vendredi saint, cette agglomération de quatre mille âmes, coincée entre les monts Chugach et un étroit bras de mer, fut victime du plus violent tremblement de terre jamais enregistré en Amérique du Nord. Ce séisme tua trente-trois habitants. Ensuite, Valdez fut touchée par la plus grosse, la plus catastrophique marée noire du continent : plus de trente-sept millions de litres de pétrole brut.

Le déversement de cette énorme quantité d'hydrocarbure, survenu en 1989, eut pour origines la suffisance des responsables, la cupidité de la compagnie pétrolière, l'ivrognerie du capitaine et la loi de Murphy selon laquelle le pire est toujours le plus probable. Mais si cette marée noire s'est produite à cet endroit et non pas ailleurs, cela tient à une bizarrerie du climat. Le pipe-line trans-Alaska aboutit à Valdez, et les supertankers comme l'*Exxon Valdez* y accostent, pour la simple raison que c'est le plus septentrional des ports qui ne sont jamais pris par les glaces.

Cependant, ce qui est vrai pour les eaux ne l'est pas pour les terres environnantes. Les grosses langues bleues des glaciers pénètrent largement sur le territoire de la commune et pendant les mois d'hiver les basses températures et l'humidité de l'air marin s'associent pour recouvrir la chaussée d'une invisible carapace de glace noire. Mais les formations glaciaires les plus impressionnantes se trouvent sur les pentes inférieures des hauts pics qui, telles des dents de requin, s'élèvent rangée après rangée au-delà de la ville.

En été, des centaines de chutes d'eau se déversent sur ces pentes escarpées. Puis, quand vient novembre, le gel les solidifie à mi-cascade et les transforme en congères de la taille d'un gratte-ciel — hauts piliers et fragiles rideaux de glace qui jettent de pâles reflets d'aigue-marine et de saphir dans la lumière subarctique.

A environ deux kilomètres et demi du centre, l'unique route qui part de la ville pénètre dans le canyon de Keystone ; c'est une entaille étroite, profonde de deux cent cinquante mètres, qui traverse la chaîne de Chugach et par laquelle la rivière Lowe se précipite vers la mer. Bien que le canyon n'ait en tout et pour tout que quatre kilomètres de long, en hiver, plus de cinquante chutes d'eau glacées pendent de ses murs verticaux ou surplombants.

Voici dix ans, un agent maritime de Valdez nommé Bob Pudwill traversait en voiture le canyon, passant sous ses falaises menaçantes, lorsque soudain : « En regardant vers le haut, j'aperçus une minuscule silhouette debout sur une vire en plein milieu des Bridal Veil Falls (chutes du Voile de Mariée). » Il s'agit de l'une des plus grandes cascades du canyon, qui se transforme de novembre à mai en un immense morceau de glace. Elle ressemble à une longue broderie d'un bleu délicat aux dimensions d'une tour de cinquante étages. « La forme humaine sur la cascade, poursuit Pudwill, tapait simultanément des pieds et des mains contre la glace et délovait une corde qui descendait jusqu'à une autre forme minuscule apparemment collée à la glace, bras et jambes écartés. Comment faisait-elle pour rester dans cette position ? Pourquoi était-elle seule ? Mon unique hypothèse, c'était que ces deux-là devaient être payés pour faire ce qu'ils faisaient. »

En réalité, ils n'étaient pas payés et ils n'expérimentaient pas — comme le soupçonnait Pudwill à titre de seconde hypothèse — une nouvelle forme de suicide. Ces deux personnes réalisaient l'ascension de la cascade parce qu'elle était là, pour reprendre une formule célèbre. Ce que voyait Pudwill — aussi farfelu que cela puisse paraître — n'était rien d'autre que le dernier raffinement de ce vénérable sport qu'est l'alpinisme, un raffinement éminemment logique. Moins d'un an plus tard, Pudwill deviendrait lui-même un ardent grimpeur de cascades.

Quand l'alpinisme fut inventé dans les Alpes, voici deux cents ans, c'était un sport d'une simplicité remarquable : il suffisait de trouver une montagne — la plus haute possible — et d'essayer d'atteindre sa cime. Mais les alpinistes ne tardèrent pas à atteindre les plus hauts sommets et ceux qui désiraient se distinguer furent obligés de choisir des voies de plus en plus ardues sur des pics déjà escaladés. Et puis finalement, pour bon nombre de grimpeurs, dans leur recherche d'un terrain vierge et d'objectifs toujours plus difficiles à atteindre, la conquête des sommets cessa d'avoir la moindre importance. A partir du moment où l'escalade était suffisamment raide, peu importait qu'elle ait lieu sur un pic himalayen ou dans une carrière anglaise. Ou encore sur une cascade de glace près de Valdez.

Le 25 janvier 1987, John Weiland et Bob Shelton se fixèrent comme objectif une cascade de Valdez connue sous le nom de Wowie-Zowie. Comme cette cascade plonge depuis le bord d'une falaise surplombante en une chute ininterrompue de cent vingt mètres, les deux grimpeurs, qui ne disposaient que d'une corde de quatre-vingt-dix mètres, avaient décidé d'attaquer ce gigantesque glaçon en deux étapes — en deux « longueurs », dans le vocabulaire de l'alpinisme. La première se terminerait à mi-parcours, à un endroit où l'arrière de la cascade offre un petit creux.

Shelton entama la première longueur à neuf heures du matin. Dans chaque main, il tenait un piolet (muni d'une lame de quinze centimètres fixée à un manche en fibre de verre de quarante centimètres) et aux semelles de ses chaussures d'escalade étaient fixés des crampons, également en acier, chacun comportant douze pointes de cinq centimètres dont deux dirigées vers l'avant. Par une série de mouvements des bras soigneusement étudiés, Shelton plantait dans la glace la lame de ses piolets tandis qu'il se tenait en équilibre sur les pointes avant de ses crampons enfoncés d'un centimètre dans la glace. Par ce moyen, telle une grosse araignée, il se hissait le long de la pente verticale de la Wowie-Zowie. C'est ce qu'on appelle la technique des pointes en avant, ou cramponnage frontal.

Afin d'assurer dans la mesure du possible son ascension, il faisait une pause tous les vingt ou trente mètres pour planter une broche (il s'agit d'un tube fileté, en aluminium ou en titane, comportant un anneau), y fixer un mousqueton puis passer dans celui-ci la corde attachée à son harnais.

Par ce moyen, s'il advenait qu'il perde sa prise sur la glace à cinq mètres de la broche, il pouvait espérer ne chuter que d'environ douze mètres avant que son vol plané ne soit arrêté par l'assurage (lequel consiste à délover la corde d'une manière qui permet d'être retenu par elle en cas de chute). Shelton tomberait sur les cinq mètres qui le séparent de la broche, ensuite sur cinq autres mètres, puis encore sur deux mètres, la corde s'étirant pour absorber l'arrêt de la chute. Mais comme une telle chute peut, quand on porte un instrument semblable à celui qui ôta la vie à Trotsky, causer de graves dommages à autrui, Shelton s'efforçait de respecter l'adage : celui qui est en tête ne doit pas tomber.

A trente mètres du sol, après deux heures d'efforts épuisants passés à combattre la pesanteur et la glace cassante de la Wowie-Zowie, Shelton atteignit un chevauchement de coulées de glace. Un pan de glace le surplombait comme un rideau déchiré et pourri. « Je me suis hissé aussi près du surplomb que j'ai pu, se souvient-il, et j'ai planté une broche. Puis j'ai dépassé le rebord, j'ai planté mes piolets dans la glace du pilier, j'ai crié à Johnny de regarder attentivement et j'y suis allé. Je me suis balancé au bout de mes bras, j'ai tiré très fort et j'ai commencé à monter en cramponnant. »

A son grand désappointement, il s'aperçut bientôt que la glace du pilier vertical avait la structure alvéolaire d'un gâteau de miel. Elle recelait une multitude de petites poches d'air et avait plus la consistance du polystyrène que celle de la glace. Comme il lui était impossible de redescendre par le surplomb qu'il venait de franchir, il décida de continuer avec l'espoir que la glace serait meilleure plus haut. Au lieu de cela, elle devint pire. Les bras douloureux, il frappait continuellement de ses piolets, essayant de traverser la couche de mauvaise glace pour trouver en dessous quelque chose de solide où ses lames pourraient se fixer. Mais ce fut en vain. Il lui fut de plus en plus difficile de trouver une prise pour ses instruments. « Et puis, raconte-t-il, tout d'un coup, j'ai eu l'impression que tout s'effondrait et j'ai dévissé. »

Tandis qu'il fendait l'air et que, dans sa chute, la première broche s'arrachait de la glace pourrie comme un cure-dent d'un canapé, il se dit qu'il allait « faire un cratère », c'est-à-dire tomber jusqu'au sol. Il eut pourtant la chance que la broche suivante tienne fermement. Après avoir rebondi, il s'arrêta, retenu par la corde, au terme d'une chute de dix-huit mètres, ne souffrant que de contusions.

Il faut souligner que l'escalade de cascades gelées comme la Wowie-Zowie est une pratique assez récente. Tout bonnement parce que, jusqu'à la fin des années soixante, personne ne disposait des moyens d'en faire l'ascension. Bien entendu, dès l'origine, les alpinistes ont grimpé sur des parois et des goulets gelés, mais uniquement lorsque la pente n'approchait pas trop de la verticale.

Au dix-neuvième siècle, des grimpeurs équipés de chaussures ferrées escaladaient des pentes de quarante ou cinquante degrés sur les flancs du mont Blanc et des aiguilles voisines. A l'aide de lourds piolets rudimentaires, ils creusaient laborieusement de longues suites de marches et de prises. En 1908, la limite fut repoussée de quelques degrés grâce à l'invention par l'Anglais Oscar Eckenstein d'un crampon muni de dix pointes orientées vers le bas. Dans les années trente, une paire de pointes horizontales fut ajoutée aux crampons et, au milieu des années soixante, on vit paraître le piolet à lame dentée. Ces améliorations permirent aux grimpeurs de mettre au point la technique audacieuse du cramponnage frontal. Ils furent ainsi dispensés de creuser des marches et les meilleurs d'entre eux purent franchir des goulets inclinés à soixante-dix degrés dans les Alpes françaises, les Highlands d'Ecosse et les Rocheuses d'Amérique du Nord.

Malheureusement, quand ils essayèrent de pousser les choses un peu plus loin, ils s'aperçurent que leurs instruments n'étaient pas adaptés. Selon Yvon Chouinard — un Californien d'ascendance canadienne française qui fut sans doute le meilleur grimpeur sur glace des années soixante —, sur les parois glacées inclinées à soixante-dix degrés, «même les meilleurs piolets avaient tendance à rebondir dans l'œil du grimpeur alors qu'ils étaient supposés tenir dans la glace».

A cette époque, Chouinard, forgeron autodidacte, vivotait en vendant des pitons, des mousquetons et autres attirails d'escalade conçus et fabriqués par ses soins. En 1966, déçu par les instruments qu'il avait utilisés pour faire l'ascension de l'une des grandes parois glacées du massif du Mont-Blanc, il avait décidé d'essayer d'en réaliser de meilleurs, en particulier un piolet qui permettrait d'affronter en toute sécurité la glace verticale. «Par un jour pluvieux de cet été-là, se souvient-il, je suis allé sur le glacier des Bossons, au-dessus de Chamonix, pour essayer tous les types de piolet disponibles et tenter de comprendre pourquoi ils ne donnaient pas satisfaction.»

Il s'aperçut immédiatement que tous ces piolets possédaient une lame droite fixée perpendiculairement au manche. Obéissant à une intuition, il conçut — avec l'aide d'un camarade d'escalade, Tom Frost, qui était ingénieur aéronautique — un piolet dont la pointe était légèrement courbe, conformément à l'arc suivi par le mouvement du bras.

Cette intuition se révéla une idée de génie : équipé d'un piolet Chouinard-Frost, un grimpeur aux bras solides et au cœur résistant parvenait à faire du cramponnage frontal sur de la glace verticale, voire surplombante. A partir de 1970, on put trouver le piolet Chouinard-Frost dans tous les magasins d'alpinisme du monde, ce qui déclencha une série d'ascensions — jusque-là inconcevables — de monstrueuses parois glacées, depuis l'Alaska jusqu'au Kenya et du New Hampshire à la Norvège. Un nombre non négligeable d'entre elles étant effectuées par Chouinard lui-même.

De la fin des années cinquante jusqu'à la fin des années soixante, alors qu'il avait entre vingt et trente ans et qu'il acquérait la réputation d'un inventeur d'équipements qui sortaient de l'ordinaire, Chouinard passait la plus grande partie de l'année sur la route, transbahutant d'un lieu d'escalade à l'autre une forge à charbon portative. « Je ne faisais que grimper, raconte-t-il, et aussi vendre ce que je fabriquais dans le coffre de ma voiture. » Pendant un temps, ses revenus furent, au mieux, maigres. Et il n'était pas rare que l'état de ses finances soit tel qu'il était obligé, avec ses camarades d'escalade, de se nourrir d'écureuils et de porcs-épics. « Souvent, précise-t-il, nous investissions nos économies dans l'achat de boîtes d'aliments pour chats mises au rebut parce qu'elles étaient cabossées. Nous les obtenions pour quatre sous et les mettions de côté comme provisions pour l'été. »

Craignant que son auditeur n'en conçoive une impression défavorable, Chouinard ajoute rapidement : « C'était un produit de qualité supérieure, celui qui a une saveur de thon. Je ne suis pas le genre de personne qui se nourrirait d'aliments pour chiens ou autre chose de cette sorte.»

Aujourd'hui, âgé de cinquante et un ans, il continue à pratiquer un alpinisme de haut niveau et fabrique toujours des instruments d'escalade qui sont considérés dans le monde entier comme les meilleurs. Mais il ne mange plus de conserves pour animaux domestiques, pas même celles de qualité supérieure destinées aux félins. L'entreprise d'équipements qu'il a créée en 1957 à l'arrière d'une Ford délabrée est devenue un groupe qui rapporte plus de 70 millions de dollars par an.

Cependant, l'essentiel de ses revenus ne provient pas des broches, des piolets et des crampons, mais d'une collection de vêtements de sport bien coupés et ingénieusement conçus qui sont commercialisés sous la marque Patagonia. Chouinard indique que, en réalité, il n'a jamais gagné d'argent avec les instruments d'escalade sur glace, et n'a jamais pensé en gagner. Pour la simple raison que cette forme d'escalade est si étrange, si dangereuse et si réfrigérante que le marché de ses équipements restera toujours extrêmement limité. Sur environ cent cinquante mille Américains qui se considèrent comme de vrais alpinistes, à peine un pour cent affrontent régulièrement des cascades de glace. «Ceux qui pratiquent l'escalade sur glace, déclare sans ambages le maître en la matière, ne sont qu'une poignée, pour la plupart des originaux déjantés.»

Beaucoup de ces «originaux déjantés» vivent à Valdez ou dans ses environs, ce qui n'a rien de surprenant. Quelques-uns d'entre eux, comme le Dr Andrew Embick — l'un des trois médecins de la ville —, étaient déjà des purs et durs de l'escalade avant de s'y installer. Ils font partie des quarante-huit habitants qui, au moins accessoirement, sont venus dans la région à cause de ses ressources en glace. D'autres ne pratiquaient pas encore l'escalade. Ils n'imaginaient même pas qu'un sport aussi bizarre pût exister, et moins encore qu'ils le pratiqueraient un jour.

C'est une activité qui peut être un passe-temps attrayant. Lorsque John Weiland — qui l'introduisit à Valdez en 1975 — évoque ses premières expériences d'ascensionniste, il faut se remettre à l'esprit qu'il est en train de parler d'un sport et non d'un stupéfiant : « Mon père était un obsédé de l'escalade, déclare d'un air réfléchi ce charpentier de quarante et un ans. J'y ai été exposé à un âge précoce et j'en suis devenu moi aussi complètement dépendant. L'escalade était comme une drogue, c'était tout pour moi. »

En 1976, peu de temps après avoir réalisé en trois jours avec Jeff Lowe — un alpiniste du Colorado venu lui rendre visite — la première ascension de la cascade des Keystone Green Steps qui, avec ses cent quatre-vingt-dix-huit mètres, est la plus haute de la région de Valdez, Weiland se prit à considérer que sa magnifique obsession avait trop envahi sa vie. Aussi se força-t-il à abandonner l'escalade et, bien qu'en état de manque, il s'en abstint durant six ans. Mais en 1981, dans un moment de faiblesse, il dépoussiéra ses instruments et entreprit une petite escalade, juste pour se prouver à lui-même qu'il était capable de reprendre et d'arrêter quand il voulait. Et depuis, à nouveau, il n'a cessé d'escalader ici et là des cascades de glace. Néanmoins, il insiste sur un point : « Je m'y suis remis progressivement et j'ai bien pris soin de ne pas retomber dans mon ancienne folie. Je pense que maintenant je domine la situation. »

Bien entendu, la dépendance n'est pas le seul danger que doit affronter le grimpeur de cascade. Cette pratique est si manifestement dangereuse qu'elle décourage les incompétents avant qu'ils soient montés assez haut pour se tuer. Mais, quoi qu'il en soit, on peut être surpris qu'il y ait eu jusqu'à présent si peu d'accidents, dont aucun n'a été mortel. Pour Andy Embick : « L'escalade glaciaire n'est pas un sport complètement anodin, mais à Valdez, en neuf années de pratique intensive, nous n'avons connu que huit ou neuf cas de blessure, le plus sérieux étant une fracture des deux jambes. »

Le Dr Embick est âgé d'un peu plus de quarante ans. Il porte des lunettes à fines montures et arbore une barbe à la Abraham Lincoln. C'est un généraliste qui a fait ses études à Harvard. Il est musclé, maniaque, et a une si bonne opinion de l'escalade glaciaire que, dit-on, il la prescrit à ses patients en tant que médecine préventive.

« Les gens de l'Alaska, explique-t-il, ont tendance à mal supporter l'hiver. Beaucoup d'entre eux sont au chômage pendant toute la durée de la saison froide, et le manque d'activité, les jours trop courts, le mauvais temps les amènent à rester confinés chez eux. Une conséquence de cette situation, c'est que nous avons un baby-boom en octobre ; une autre conséquence, c'est que les gens sont désœuvrés, se sentent malheureux, boivent trop et battent leur conjoint ou conjointe. Le manque de luminosité est néfaste pour l'esprit ; il provoque un ou deux suicides chaque année. Tout ce qui pousse à sortir, à avoir une activité physique, constitue une bonne psychothérapie et écarte les problèmes liés à l'hiver. Or l'escalade glaciaire est l'une des rares activités que l'on peut pratiquer ici pendant cette saison. »

Le fait que seuls quelques patients se soient laissé persuader de suivre la cure très particulière du Dr Embick n'a en rien atténué la passion du bon docteur pour son passe-temps frigorifique. Cette passion s'est manifestée de plusieurs façons, la moindre n'étant pas son « livre », un opus majeur qu'il peaufine depuis neuf ans et qui, s'il est publié un jour, s'intitulera : *Glace bleue et or noir : guide des cascades de glace de Valdez, Alaska, à l'usage des grimpeurs.* Non seulement l'ouvrage fournit une description de chacune des cent soixante-quatre cascades qui ont été escaladées, mais il indique aussi le nom des premiers ascensionnistes (celui d'Embick est mentionné à cinquante reprises) et situe chaque cascade sur une échelle de difficulté qui va de I à VI.

Bien que l'escalade glaciaire se pratique sans arbitrage, sans règlement officiel et sans compétition, elle n'en est pas moins intensément compétitive. Les meilleurs grimpeurs, qui s'entraînent avec l'acharnement d'athlètes olympiques, se servent du guide manuscrit d'Embick et de quelques autres du même genre non pas tant comme d'un Baedeker mais plutôt comme d'un moyen pratique d'établir une hiérarchie. Celui qui a fait l'ascension d'une cascade classée VI dans le *Guide* a un droit de vantardise supérieur à celui dont dispose quelqu'un qui n'a escaladé qu'une V.

Les premières valent à leurs auteurs un prestige particulier. Non seulement ceux qui sont les premiers à vaincre une cascade sont immortalisés dans le *Guide,* mais ils acquièrent en plus le droit de donner à cette cascade le nom qui leur paraît approprié. Un coup d'œil sur les pages du volume révèle des dénominations aussi inventives que « les Chutes du croc mortel du tueur », « Deo Gratias », « Plus jamais ça », « les Nécromanciens», «Plaies et bosses», «Pas moyen», «le Passage de l'horreur», «Désespoir mineur». Nombre de ces dénominations — que la décence empêche de citer — se réfèrent à des fonctions du corps et à des pratiques sexuelles d'adolescents, ce qui reflète bien le développement psychologique inachevé du grimpeur glaciaire moyen.

En février 1983, dans le but de promouvoir l'escalade en général et celle des cascades de Valdez en particulier, Embick organisa le premier «Festival d'escalade glaciaire de Valdez», offrant aux grimpeurs du cru, dans un cadre peu contraignant, une occasion de blaguer, de boire des bières et de grimper en compagnie de gens venus d'ailleurs. Depuis, chaque mois de février, les mêmes personnes ont pris l'habitude de se retrouver là. Au cours des dernières années, le Festival a attiré des grimpeurs venus de lieux aussi éloignés que l'Autriche, la Nouvelle-Zélande, le Japon et le Kentucky.

Pour être certains que cette visite laissera un souvenir mémorable à leurs invités, les grimpeurs de Valdez aiment à les orienter vers les cascades «classiques» de la région. C'est ainsi que, en 1985, un champion local nommé Brian Teale servit de guide à Shomo Suzuki (peut-être le meilleur grimpeur glaciaire japonais) sur la Wowie-Zowie, laquelle à l'époque était tellement classique qu'elle n'avait été escaladée qu'une seule fois depuis la première ascension réalisée en 1981 par Embick et un brillant grimpeur de Fairbanks, Carl Tobin. Si Suzuki avait eu le loisir de consulter le *Guide,* il y aurait lu que la cascade était «un saisissant pilier surplombant» avec une glace «très peu consistante» et qu'elle comprenait une longue section où il était «impossible de s'arrêter ou de redescendre». Après l'ascension, quand on lui demanda ce qu'il pensait de la

Wowie-Zowie en comparaison des cascades du Japon, il paraît que Suzuki répondit sans hésiter : « Au Japon, personne n'a jamais escaladé une telle glace et quant à moi, en tout cas, je n'ai pas l'intention d'en escalader à nouveau une semblable. »

En 1987, je me suis rendu à Valdez pour le Festival et j'y ai trouvé soixante-trois autres grimpeurs — dont quarante bivouaquaient tête contre tête sur le plancher de l'appartement d'Embick. Mes hôtes, avec le même sens de l'hospitalité que celui qu'ils avaient manifesté à Suzuki, firent leur possible pour que mon séjour parmi eux demeure mémorable. Au cours de la semaine que je passai en Alaska, je fus invité à huit « classiques » locales, la plus classique de toutes étant une cascade qui répondait au nom anodin de « Voie de l'amour ».

Cette cascade, haute de cent dix mètres, avait été escaladée pour la première fois par Embick et Tobin en 1980. C'est Embick qui lui donna le nom qu'elle porte par allusion au fait qu'il allait se marier peu après. Mais depuis, personne d'autre n'en avait fait l'ascension, du moins jusqu'aux deux mois qui précédèrent mon arrivée. J'avais déjà accepté d'accompagner un jeune grimpeur intrépide de Fairbanks nommé Roman Dial dans une tentative sur cette cascade lorsque je lus dans le *Guide,* avec une inquiétude croissante, que la Voie de l'amour consistait en « un pilier surplombant en forme de chandelle, séparé de la paroi rocheuse ». Le texte précisait : « Comme c'est généralement le cas sur la glace surplombante, l'emplacement pour utiliser les instruments et les broches est, au mieux, réduit. » Puis il poursuivait en avertissant le lecteur que « la force et l'endurance » ne suffisaient pas à elles seules pour obtenir le succès. Qu'il était nécessaire de « faire du stem, de verrouiller et de grimper en düffler sur la glace fragile», trois techniques compliquées empruntées au répertoire de l'escalade.

En principe, les grimpeurs qui se lancent dans une ascension glaciaire difficile constituent une équipe de deux. Mais conformément à l'esprit sociable du Festival, deux autres personnes se joignirent à nous : Kate Bull, une géologue de vingt-sept ans, et Brian Teale. La Voie de l'amour comporte deux grandes vires qui permettent logiquement de diviser l'ascension en trois étapes. Brian et Roman — comme la plupart des grimpeurs chevronnés — aiment prendre la tête. Ils considèrent que grimper en second ou en troisième, protégé par l'assurage, est aussi frustrant que de jouer au poker sans argent. En conséquence, ils sont peu disposés à renoncer à ce qu'on appelle «le bon bout de la corde».

Au terme d'une longue discussion, il fut convenu que Brian prendrait la tête durant la première étape. Celle-ci se révéla d'une difficulté seulement moyenne. Il cramponna rapidement jusqu'à la vire, enfonça trois broches, s'y attacha et relaya tour à tour Kate, Roman et moi. Juste au-dessus de nous, telle une épée de Damoclès, s'élevait le passage clé de notre ascension, la deuxième étape : un pilier haut comme un immeuble de douze étages dont les sept premiers consistaient en un agglomérat, trop lourd du haut, de tiges de glace d'aspect fragile, beaucoup d'entre elles n'étant pas plus épaisses que le tronc d'un arbuste.

A ce stade, après un examen minutieux du pilier, il apparut que la question de savoir lequel des deux leaders aurait l'honneur de prendre la tête dans la deuxième étape avait beaucoup perdu de son caractère passionnel. En fait, lorsque Brian déclara contre toute attente : «Eh bien, Roman, si tu tiens absolument à prendre la tête, je te cède la place», je crus un instant déceler quelques fêlures dans la témérité habituelle de Roman. Il est possible que son hésitation soit à mettre en relation avec un incident survenu le mois précédent. Il avait vu un camarade, Chuck Comstock, à deux doigts de dévisser sur un pilier du même genre près du mont Wrangell.

Comstock était un garçon de ferme aux cheveux roux. Originaire de l'Iowa, il n'avait jamais entendu parler de l'escalade sur glace jusqu'à ce qu'il s'engage dans les garde-côtes et soit envoyé à Valdez. Il avait pris la tête sur le pilier en question — qui constituait la pointe finale d'une cascade de quatre cent cinquante mètres — lorsque la glace sur laquelle il cramponnait se mit à faire entendre des craquements et des grondements menaçants. Lorsque ces sons eurent augmenté de volume, Comstock battit précipitamment en retraite. A peine avait-il reposé pied sur le sol et s'était-il jeté à l'écart que l'immense pilier instable s'effondra dans un bruit de tonnerre sous les yeux incrédules de Roman.

Il ne faisait aucun doute que, maintenant, la mésaventure presque fatale de son camarade était présente à son esprit. Tandis qu'il entamait la deuxième étape de la Voie de l'amour, il maniait ses instruments avec autant de circonspection qu'un joaillier qui taille une pierre d'une valeur inestimable. Au-dessus de lui, le parcours exigeait un mélange paradoxal de force et de grande délicatesse; la situation du grimpeur était constamment précaire. Sur ce pilier, la glace était si cassante et inconsistante que Roman ne perdit pas de temps à essayer d'assurer sa sécurité en posant des broches avant d'être parvenu à au moins douze mètres au-dessus de la vire relais, et quand finalement il en plaça une, la glace se révéla tellement friable que, lorsqu'il reprit son ascension, la vibration de la corde fit sauter la broche.

Roman ne put fixer une broche solide avant d'avoir franchi vingt-quatre mètres au-dessus de la vire relais. Si ses forces l'avaient abandonné, ou s'il avait commis une erreur — si, par exemple, ses instruments avaient perdu leur prise sur la glace comme cela était arrivé à Bob Shelton sur la Wowie-Zowie —, il aurait fait une chute mortelle, selon toute probabilité. A sa place, la plupart des gens auraient été paralysés par la peur, ce qui n'aurait fait que hâter leur trépas. Mais dans son cas, le sérieux de la situation aiguisa sa concentration et effaça la fatigue de ses bras. Il atteignit sans incident la vire en haut de la deuxième étape. Néanmoins, il était épuisé, à la fois mentalement et physiquement.

Après lui, c'était à mon tour de monter. Quand les crampes de ses bras furent passées, il tendit la corde et me cria : « Tu es assuré ! », ce qui me donnait le signal pour l'escalade du pilier. Cette corde, bien installée au-dessus de moi, signifiait que je n'avais rien à craindre tant que je ne tranchais pas cette ligne de vie d'un coup de piolet ou que je ne provoquais pas l'effondrement du pilier. Aussi maniais-je mes piolets avec précaution, aussi délicatement que possible, mais même en procédant de la sorte, chaque fois que je plantais un piolet ou un crampon dans la glace, le pilier tout entier faisait entendre un puissant « chung ! » et se mettait à trembler d'une manière déconcertante, ce qui me donnait l'impression de me trouver en haut d'un arbre qu'on était en train d'abattre.

J'essayais d'éviter la glace grise, pourrie, en ne frappant avec mes piolets que les endroits offrant un aspect bleu-vert profond, qui étaient relativement fermes.

Mais même la glace verte était truffée de cavités cachées et de poches d'air, ce qui empêchait de planter solidement les instruments. Et peu importait le soin avec lequel je maniais mes piolets. Des éclats de glace — certains pesant de dix à quinze kilos — se détachaient souvent, frôlaient ma tête, tombaient avec un sifflement sourd et s'écrasaient vingt étages plus bas tandis que, figé, je les regardais.

Le diamètre lamentablement étroit du pilier m'obligeait à planter mes crampons l'un contre l'autre, comme des pattes de pigeon, dans une horrible posture qui compromettait mon équilibre. Chaque fois, par exemple, que je retirais de la glace la lame de mon piolet gauche pour la planter plus haut, toute la partie gauche de mon corps s'écartait du pilier surplombant comme la porte d'un placard qui, mal montée, refuserait de rester fermée.

A cause du surplomb, mes bras durent porter près de quatre-vingts pour cent du poids de mon corps pendant la plus grande partie des trente ou quarante minutes que dura l'ascension. L'effort physique était grosso modo comparable à celui qu'exige une demi-heure ininterrompue de tractions sur une barre fixe, avec pause en position haute, maintien sur un seul bras, tandis que l'autre frappe deux fois avec un marteau d'un kilo.

Arrivé à mi-chemin de la deuxième étape de la Voie de l'amour, l'effort faisait trembler mes bras, j'étais à bout de souffle et, malgré le froid, mes vêtements étaient trempés de sueur. Quand finalement je m'effondrai sur la vire où Roman assurait, de telles crampes paralysaient mes mains que je pus à peine défaire le mousqueton.

Kate monta après moi, puis Brian, et juste avant le

coucher du soleil nous tournâmes tous les quatre nos regards vers l'étape finale, au-dessus de nous. A notre soulagement, la pente n'était que verticale et non plus surplombante. C'était un boulevard en comparaison de ce qui précédait. Un peu plus tard, tandis que le froid incisif du soir s'installait sur Valdez, l'équipe hétéroclite que nous formions se congratula auprès du bouquet d'aulnes chétifs qui indique le sommet de la Voie de l'amour.

On ne peut nier que l'escalade glaciaire soit généralement effrayante, parfois pénible, et, dans certaines occasions, mette véritablement la vie en péril.

La plupart des non-grimpeurs ne parviennent pas à imaginer l'attrait qu'elle exerce. Mais quiconque a entendu le cri de joie de Kate Bull au moment où elle atteignit le sommet de la Voie de l'amour — et son écho renvoyé par le canyon de Keystone — le comprendra sans difficulté.

4

SOUS LA TENTE

La prochaine fois que vous formerez le projet d'une excursion dans l'arrière-pays, enthousiasmé par la lecture d'un beau livre sur papier glacé où figurent des pics enneigés sous un ciel d'un azur immaculé, vous ferez bien de vous demander d'où viennent ces magnifiques capuchons de neige.

Il est dans la nature des montagnes de capter toute l'humidité qu'apporte le vent. Ça, bien entendu, vous le savez déjà. Si vous ne l'avez pas appris au lycée, des vacances bien arrosées dans les Adirondacks ou les North Cascades vous l'auront enseigné. Mais l'optimisme est dangereusement prémuni contre les simples faits aussi bien que contre les dures leçons de l'expérience. On peut avoir des difficultés à admettre qu'un séjour en pleine nature signifie souvent que l'on va passer son temps dans une cellule de Nylon humide et froide, autrement dénommée « tente ».

Certaines montagnes, certaines saisons ont un temps plus désagréable que d'autres et, en évitant des lieux comme l'Himalaya pendant la mousson ou la Patagonie en toute saison (dans cette province, selon l'expression locale, « le vent passe sur le pays comme le balai de Dieu »), on peut espérer trouver occasionnellement un ciel clair. Mais alors, ce sont les moustiques et les mouches qui peuvent vous contraindre à rester sous la tente malgré un soleil brillant, tout comme peut vous y obliger une tempête de sable dans le désert. C'est pourquoi il est toujours possible de se trouver enfermé sous sa tente, quelles que soient les prévisions de la météo.

Il est vrai que, lorsque vous campez à moyenne altitude — du moins en été —, vous pouvez, malgré le déluge, enfiler vos vêtements de pluie et vous aventurer dehors afin de glaner un peu d'agrément dans les collines brumeuses. Mais si jamais vous succombez aux charmes plus sauvages, plus exaltants, de quelque chaîne de montagnes reculée et glaciale, vous risquez d'être bloqué, otage des éléments, pendant des jours, et parfois des semaines.

Pourtant, être enfermé sous sa tente n'est pas toujours une épreuve. Les premières heures peuvent s'écouler dans une euphorie rêveuse, tandis que vous reposez paisiblement dans votre sac de couchage en observant les gouttes de pluie qui perlent l'extérieur du rabat transparent, ou les congères qui s'entassent lentement contre la toile. Vous êtes douillettement enveloppé dans votre duvet ou dans le dernier textile inventé par l'industrie chimique, le Nylon de la tente filtre la cruelle réalité de la lumière extérieure pour donner un demi-jour apaisant, et tout cela engendre une atmosphère de soulagement, d'insouciance. La tempête vous a gratifié d'un solide alibi pour ne pas aller risquer votre vie en tentant la première *direttissima* de cet effrayant piton qui domine la vallée, ou pour vous éviter de vous épuiser une fois de plus en gravissant un col où votre partenaire, dans un absurde projet, veut découvrir une ligne de partage des eaux. Pour une journée au moins, vous voilà en sécurité ; les efforts inutiles sont reportés à plus tard ; vous avez sauvé la face, épargné par l'angoisse ou les remords. Il n'y a rien d'autre à faire que se laisser aller à un sommeil paisible.

Cependant, on ne peut abuser des bonnes choses. Même ceux qui sont doués pour le sommeil finissent par être incapables de dormir plus longtemps. J'ai connu des alpinistes de très grand talent qui pouvaient demeurer en léthargie seize ou vingt heures par jour, plusieurs jours de suite, mais cela laisse tout de même beaucoup de temps à tuer, et les moins doués, même en s'entraînant, peuvent avoir à occuper chaque jour dix à douze heures de veille.

Bien qu'insidieux, le danger de l'ennui est véritable. Pour citer Blaine Harden, du *Washington Post* : « L'ennui tue ; et ceux qu'il ne tue pas, il les rend infirmes ; et ceux qu'il ne rend pas infirmes, il leur suce le sang comme une sangsue, laissant ses victimes pâles, insipides, broyant du noir. Les exemples sont nombreux... Lorsqu'on les isole, les rats deviennent vite nerveux, irritables, agressifs. Leur corps est tordu par les convulsions, leur queue devient squameuse. » C'est pourquoi le randonneur doit non seulement apprendre à se servir d'une carte et d'une boussole, à éviter et à soigner les contusions, mais il doit aussi se préparer mentalement à affronter l'ennui.

Sociables comme nous le sommes par nature, c'est d'abord vers nos camarades de tente que nous nous tournons pour atténuer la morne ambiance du campement. On ne saurait prendre trop de soin dans le choix de ses compagnons. Un bon répertoire d'histoires drôles, une solide provision de ragots et un sens de l'humour s'épanouissant dans l'adversité devraient peser au moins autant que l'endurance ou l'expérience en escalade glaciaire.

Plus encore qu'une personne amusante, il faut choisir quelqu'un qui ne vous agacera pas. Votre camarade peut bien être un second Frank Zappa, comment le supporterez-vous après quatre-vingt-seize heures de spectacle presque ininterrompu sous la tente ? Ceux qui sont revenus vivants de dures expéditions en pleine nature recommandent tous d'éviter les hyperactifs. Des compagnons de randonnée nerveux, incapables de comprendre l'importance de la temporisation et de la concertation, peuvent troubler l'atmosphère d'un campement réduit à l'inaction et rendre plus pesant encore le manque d'activité.

Une tente de montagne standard est rarement plus large qu'une cabine téléphonique et sa surface au sol est inférieure à celle d'un lit royal. Quand on est contraint à la promiscuité dans un espace aussi réduit, on a très vite les nerfs à vif et la moindre irritation prend tout de suite une dimension intolérable. Quelqu'un qui fait craquer ses phalanges, qui se met les doigts dans le nez, qui ronfle, qui envahit l'espace de la tente avec un sac de couchage à l'extrémité mouillée peut semer les graines de la violence.

L'un des tout premiers grimpeurs d'Alaska des années soixante et soixante-dix, David Roberts, évoque le souvenir d'une excursion — gâchée par la tempête — au mont Deborah en compagnie de son meilleur ami :

> Nos conversations s'enlisaient ou bien conduisaient à des disputes. Je me sentais tellement frustré à cause du mauvais temps qu'il fallait que je m'en prenne à quelque chose. Don était ce qu'il y avait de plus proche, et c'était le seul qui puisse répondre... J'en

étais venu à réagir au moindre de ses gestes — à sa façon de nettoyer son couteau, de tenir son livre, et même de respirer. J'étais tenté d'inventer des raisons de lui en vouloir. Je me disais que son air réfléchi quand il remuait son petit déjeuner avec sa cuillère me rendait fou parce qu'il révélait ses manières méthodiques qui elles-mêmes trahissaient sa lenteur d'esprit, et que c'était à cause de celle-ci qu'il désapprouvait mon impatience... Dans cet état de stagnation, j'étais en train de devenir à la fois agressif et paranoïaque. Je m'efforçais de ne plus penser à tout ce qui m'exaspérait en me laissant aller à des rêveries où j'imaginais le plaisir d'une vie plus facile et moins exposée au froid. Mais, dans le même temps, le bruit que faisait Don en grignotant une barre chocolatée me plongeait dans une rage muette.

Si le profil psychologique de vos futurs compagnons de tente vous donne du souci, vous pouvez toujours acheter un abri en tissu de couleur rose. Les psychologues comportementalistes considèrent en effet que l'œil est pourvu de neurotransmetteurs hormonaux sensibles à certaines couleurs. Celles-ci, croit-on, peuvent modifier l'activité de l'hypothalamus, de la glande pinéale et de la muqueuse pituitaire, lesquels à leur tour conditionnent l'humeur. Dans une série d'expérimentations largement diffusées, on a placé des sujets dans une petite pièce peinte en rose. D'après les chercheurs, en moins de quinze minutes leurs muscles se sont détendus, atteignant presque un état de relâchement, et on a observé une réduction considérable des « comportements violents, aberrants, agressifs et automutilatoires » chez des criminels, des schizophrènes paranoïdes et des « adolescents turbulents ».

On a beaucoup écrit sur les plaisirs de la solitude dans les grands espaces mais, quand vous vous trouvez encagé sous une tente, le monde qui s'étend au-delà de votre enceinte humide ne peut plus rien pour vous. De là l'attrait des terrains de campement très fréquentés. Le spectacle et l'odeur continuels des ordures et déchets divers produits par l'homme, le bruit tonitruant des magnétophones ainsi que la foule peuvent constituer pour le randonneur faible ou débutant une raison de s'en tenir à l'écart mais, pour ceux qui sont prévoyants, l'avantage d'avoir des voisins à qui rendre visite quand surviennent six jours de tempête est parfaitement clair.

Le fait qu'il soit absurde de partir dans la nature pour y rechercher la foule ne doit pas être une raison pour y aller en groupes de deux ou trois. Selon tous les témoignages, il est impossible qu'une expédition prolongée comprenant deux personnes n'inflige des blessures psychiques permanentes à ses participants si le temps se gâte. Quant à partir seul, voici l'avertissement que donnait en 1933 Victor F. Nelson (condamné à perpétuité, il connaissait toutes les nuances de la réclusion solitaire) : « Généralement, l'être humain est un très mauvais compagnon pour lui-même. Chaque fois qu'il doit rester seul pour quelque durée que ce soit, il éprouve un profond dégoût et une angoisse torturante qui le poussent à rechercher n'importe quel moyen d'y échapper. » Dans les randonnées en solitaire, on ne se disputera avec personne pour savoir qui doit faire la vaisselle mais, si la météo annonce une perturbation, la plupart des gens préfèrent une mauvaise compagnie plutôt que pas de compagnie du tout. Au moins les disputes font passer le temps.

Choisir un compagnon de l'espèce la moins caractérielle constitue bien évidemment un subtil compromis entre la solitude et la probabilité d'une cohabitation qui tourne à l'aigre après quelques jours passés sous la tente. Un chien laisse à désirer quant à la conversation et, lorsqu'il est mouillé, son odeur est encore pire que celle d'un grimpeur mouillé, mais un bon chien vous écoutera avec une bonne volonté et une sympathie inépuisables. Et puis il servira, cela va sans dire, d'exutoire à votre mécontentement.

A mesure que les jours de captivité pendant la tempête s'accumulent et que les parois gorgées d'eau de la tente s'affaissent, la lassitude submerge les reclus. Les yeux prennent cet aspect hagard connu sous le nom de « regard aléoutien » et il devient impossible de trouver l'énergie nécessaire à la conversation, sauf quand elle prend la forme d'une dispute. Ce symptôme n'est pas propre aux générations actuelles. Dans *The Worst Journey in the World* — qui relate la malheureuse expédition au pôle Sud de Robert Falcon Scott en 1910-1913 —, Apsley Cherry-Garrard évoque les difficultés qui surviennent pendant l'hiver antarctique :

> Un grand danger menaçait nos repas dans la hutte. Celui d'une dispute, quelquefois bien argumentée et toujours soigneusement mûrie, sur n'importe quel sujet... Le moindre prétexte les déclenchait et elles s'étendaient à un champ très large pour être reprises, remodelées, déformées, des mois plus tard... Quelle était la cause de la formation des cristaux de glace ? Quels types de crampons convenaient mieux dans l'Antarctique ? Quelle était la couverture de cheval idéale ? Le sommelier du Ritz aurait-il l'air surpris si un client lui demandait un verre de bière ?

Cherry-Garrard et ses compagnons pouvaient mettre un terme à beaucoup de ces débats en consultant le *Times Atlas* ou la *Chambers Encyclopaedia.* Mais les randonneurs actuels, trop paresseux pour transporter de pesants livres de référence, ont le plus souvent recours au pari (« On parie ou tu la fermes ! ») pour mettre un terme aux discussions. Les plus sages enregistrent les paris par écrit.

Lorsque les conversations improvisées deviennent trop tendues, les jeux peuvent offrir un moyen de canaliser l'insatisfaction et de passer le temps de manière civilisée. Si vous avez emporté un jeu de cartes, les allumettes peuvent servir de jetons de poker, mais il faut faire attention d'en mettre quelques-unes à l'abri de l'humidité du sol pour pouvoir préparer vos plats chauds. Lorsque vous êtes en pleine nature, l'argent a quelque chose de trop abstrait ; aussi le jeu sera-t-il plus intéressant s'il porte sur ce qui a une valeur immédiate : une ration alimentaire (lorsque les provisions s'amenuisent), un vêtement sec — s'il en reste —, un peu plus d'espace sous la tente, ou une part significative de la charge qu'il faudra porter.

D'innombrables jeux peuvent être confectionnés au moyen d'un stylo, d'un coussin et de déchets. Il est toujours amusant d'essayer de fabriquer un jeu de Monopoly (la seule reconstitution du tableau et des cartes peut prendre beaucoup de temps), mais le jeu favori des grimpeurs américains est *Peak Experience,* un jeu long et compliqué, d'un réalisme presque pervers en ceci qu'il peut s'y révéler impossible d'atteindre le « sommet ». Les jeux électroniques portatifs sont amusants mais leurs continuels « bip » semblent avoir un rapport avec ce phénomène étrange : il leur arrive souvent un accident pendant que leur propriétaire est sorti de la tente pour se rendre aux latrines.

Quelle que soit la qualité du jeu, un moment survient toujours, dans les dernières étapes d'une incarcération prolongée, où l'on ressent sinon une complète répugnance pour les contacts avec autrui, du moins un irrépressible désir de les limiter. Ayant écarté toute dispute, ou même le jeu de cartes sans paroles, il devient essentiel de trouver une distraction solitaire.

Bien qu'ils ne soient pas légers, les livres possèdent un rapport poids/divertissement supérieur à celui des boissons alcoolisées. Selon une école de pensée, la vie sous la tente diminue à ce point les aptitudes intellectuelles que seule une littérature superficielle, naïve, où l'action prédomine, est capable de retenir l'attention : science-fiction, ouvrages pornographiques, romans policiers. D'autres recommandent d'emporter de gros volumes que vous avez toujours voulu lire sans que l'occasion s'en soit présentée ; une fois que vous aurez atteint un certain degré dans l'ennui, vous lirez probablement ce que vous aurez sous la main, peut-être même plusieurs fois. Mieux encore, pourquoi ne pas mettre à profit l'inégalable langueur que procure un campement sous la tempête pour commencer, enfin, l'œuvre de Proust ?

Cependant, dans ces circonstances, les meilleurs livres sont peut-être les récits d'expédition. On y apprend tout en se divertissant. Tandis que vous sombrez dans l'auto-apitoiement parce que vous êtes en train de passer votre congé annuel coincé dans une tente détrempée qui sent la chaussette sale, lire les horreurs endurées par les premiers explorateurs polaires comme Nansen, Shackelton et Scott peut vous aider à vous ressaisir. Ces expéditions duraient trois ans et le froid était tellement intense qu'il faisait éclater les dents (Cherry-Garrard parle de sa satisfaction que la température se soit réchauffée jusqu'à atteindre – 10 °C). Le blizzard soufflait en tornade pendant six semaines sans discontinuer, exposant les hommes au scorbut, à la famine et aux attaques des morses. Voilà qui relativisera vos propres difficultés.

Si de mauvaises relations avec les autres rendent les passe-temps collectifs impossibles, si vous avez imprudemment négligé d'emporter un livre, il vous reste tout de même de nombreuses possibilités. Il est bien évident que cuisiner et manger sont des plaisirs que limitent vos provisions de nourriture et de pétrole, nécessairement réduites. Mais vous pouvez étudier les emballages des boîtes de soupe, en mémorisant les noms compliqués des conservateurs qu'elles contiennent, ou bien il vous est également loisible de compter les fils du toit de la tente. Mais de tels plaisirs ne peuvent se prolonger éternellement et, à la fin, il pourra vous arriver de sombrer dans cet état que décrit Victor Nelson : « Je restais dans mon lit, le visage tourné vers le mur, m'accrochant à de vieux souvenirs ou évoquant l'avenir... La réalité immédiate qui m'entourait était trop dure à supporter. »

Lorsqu'ils se sont trouvés dans une mauvaise passe, même des êtres exceptionnels ont, en dernier ressort, eu recours à la trousse d'urgence. Mais en montagne, les tempêtes s'arrangent toujours pour durer plus longtemps que le tube de codéine et il existe de meilleurs endroits qu'une toile de Nylon nauséabonde pour faire l'affreuse expérience du manque.

Quelquefois, le destin sourit aux reclus sous la tente ; un petit sourire bête qui tue l'ennui en augmentant les petites misères au point d'en faire une question de survie. Que l'on soit emporté par une avalanche ou frappé par la foudre, que le réchaud explose en embrasant la tente, qu'une crise d'appendicite vous cloue au sol à trois cents kilomètres du premier hôpital, qu'un grizzly vous attaque, rien de tel qu'un danger de mort pour soigner rapidement l'ennui existentiel.

Cependant, seule une étroite limite sépare les souffrances d'une action passionnante d'un état de misère dérisoire. En 1967, les premiers alpinistes à escalader les Revelation Mountains en Alaska subirent une tempête de quarante jours sur les cinquante-deux que dura leur expédition. Ils firent en sorte de rester presque continuellement du bon côté de la limite. Matt Hale se souvient qu'après une futile sortie de plusieurs jours à la recherche de spécimens de papillons, il était rentré au camp de base trempé jusqu'aux os et, pendant une semaine, une pluie transversale et de la neige fondue n'avaient cessé de tomber. Poussée par des vents violents contre les parois de la tente, la pluie pénétrait à l'intérieur de l'abri sous la forme d'une brume glacée qui mouillait les corps et transformait les sacs de couchage en éponge.

Sur le point d'être atteint d'hypothermie, Hale comprit que le meilleur moyen de dormir au sec consistait à ôter tous ses vêtements mouillés, à s'enfoncer du mieux possible dans son sac à dos, humide mais plutôt étanche (en négligeant le fait qu'il contenait des débris de figues mouillés), de se recouvrir au moyen de sa parka et de glisser l'ensemble dans le sac de couchage détrempé : «Nuit après nuit, je faisais le même rêve semi-conscient, presque un délire : je descendais du glacier dans l'intention de pénétrer dans une cabane tiède et sèche. Mais juste au moment où j'essayais d'ouvrir la porte, je me réveillais, tout tremblant, mouillé, la peau collante à cause des figues.» Bien que cette semaine entière passée sous la tente ait comporté un large spectre d'épreuves, Hale précise aussitôt que «l'ennui n'a pas été un problème».

En réalité, quelque vingt années après cet épisode, il en parle avec beaucoup d'attendrissement. Si l'occasion lui en était donnée, il retournerait tout de suite aux Revelations — avec le temps affreux et le reste. Comme l'observait un éminent alpiniste du dix-neuvième siècle, Sir Francis Younghusband : «C'est parce qu'ils ont beaucoup à donner et qu'ils le donnent sans compter... que les hommes aiment les montagnes et y retournent sans cesse.»

5

LES PILOTES DE TALKEETNA

C'est un matin de juin ordinaire à Talkeetna, haut lieu culturel de la haute vallée de la Susitna, en Alaska. Les bons jours, la population peut atteindre deux cent cinquante âmes. La brise de l'aube apporte des senteurs d'épicéa et de terre humide ; un orignal descend la rue principale déserte et fait une pause pour se frotter la tête contre la barrière du terrain de base-ball. Et soudain, sur le terrain d'aviation qui jouxte le hameau, la paix du matin est troublée par le moteur d'un petit avion rouge qui tousse deux ou trois fois puis démarre dans un rugissement.

Celui qui est assis sur le siège du pilote est un gros ours hirsute. Il s'appelle Doug Geeting. Tout en conduisant l'avion vers la piste, il allume la radio et communique son plan de vol dans le jargon laconique et mystérieux qui sert de *lingua franca* aux aviateurs du monde entier : « Talkeetna, four-seven-fox. Nous emmenons quatre personnes à la fourche sud-est de Kahiltna. Trois heures de carburant. Temps de vol : une heure trente. »

Le pilote met les gaz, le bruit du moteur augmente jusqu'à devenir un grondement continu, le petit avion décolle du tarmac et s'élève dans l'immense ciel de l'Alaska.

Au-delà des deux pistes d'atterrissage de Talkeetna, de sa demi-douzaine de rues sales et de son mélange hétéroclite de cabanes en rondins, de caravanes, d'abris préfabriqués et de boutiques de souvenirs, s'étend une vaste plaine couverte d'épicéas noirs, d'aulnes impénétrables et de tourbières marécageuses. Un paradis pour les moustiques, aussi plat qu'une plaque de fonte et situé à cent mètres à peine au-dessus du niveau de la mer. Pourtant, à quatre-vingt-dix kilomètres de là, les immenses remparts du mont McKinley — le plus haut sommet d'Amérique du Nord — surgissent sans transition de ces terres basses. A peine Geeting a-t-il pris de l'altitude qu'il effectue un virage serré sur la gauche, prend la direction de l'ouest en suivant le large ruban limoneux de la rivière Susitna et file droit sur la puissante silhouette de la montagne.

L'appareil est un Cessna 185 à six places qui dispose d'autant d'espace intérieur qu'un petit break japonais. Sur ce vol, il emporte trois passagers — serrés comme des sardines contre un amoncellement de sacs à dos, de duvets, de skis et d'équipements de montagne qui remplissent l'avion du plancher au plafond. Ces trois hommes sont des alpinistes et chacun d'eux a versé deux cents dollars pour être emmené jusqu'à un glacier du mont McKinley situé à 2 300 mètres d'où ils tenteront, au cours d'un séjour de presque un mois, d'atteindre le sommet (6 194 mètres).

Chaque année, un millier de grimpeurs environ s'aventurent sur les pentes du mont McKinley et de ses satellites. Doug Geeting gagne sa vie en les déposant sur les glaciers en altitude de la chaîne de l'Alaska. Cette spécialisation exigeante et dangereuse de l'aviation civile n'est dévolue qu'à une poignée de pilotes de par le monde. Huit ou neuf d'entre eux ont leur base à Talkeetna. Pour ce travail, le salaire n'est pas énorme et l'emploi du temps est harassant, mais, depuis la fenêtre du bureau, la vue est unique.

Vingt-cinq minutes après le départ de Talkeetna, les premiers contreforts du massif du McKinley pointent comme des crocs au-dessus de la vallée de la Susitna, emplissant de leur masse le pare-brise du Cessna. Depuis le décollage, l'avion a pris continuellement de l'altitude. Il est maintenant à 2400 mètres, mais les pointes enneigées qui luisent droit devant nous s'élèvent à cinq cents mètres au-dessus de l'appareil. Le pilote — qui possède à son actif quelque quinze mille heures de vol sur ce type d'avion et pratique ce trajet depuis plus de quinze ans — paraît suprêmement indifférent alors que l'appareil fonce à vive allure sur le mur de la montagne.

La collision paraît imminente, les alpinistes ont la gorge sèche et leurs phalanges crispées sont blanches, mais Geeting abaisse une aile, lance l'avion dans un virage à droite étourdissant et plonge dans une étroite faille qui est apparue derrière l'épaule de l'une des aiguilles les plus élevées. Sur le côté, la muraille est si proche qu'on distingue les cristaux de neige qui scintillent au soleil.

« Ce défilé, remarque Geeting, nous l'appelons le "Passage d'un seul coup". La première règle du pilotage en montagne, continue-t-il sur ce ton décontracté qui lui vient de sa Californie natale, c'est qu'il ne faut jamais aborder un col directement, parce que s'il vous arrive d'être pris dans un courant descendant, vous n'aurez pas les moyens de vous en sortir. Au lieu de l'attaquer de face, je m'en approche en volant parallèlement à la ligne de crête jusqu'au moment où j'arrive sur le col ; là, je vire sec et je le franchis à quarante-cinq degrés. De cette façon, si je perds de l'altitude et que je vois que je ne suis plus assez haut pour passer, j'ai la possibilité de dévier au dernier moment et de m'en aller. Dans ce métier, si on veut faire de vieux os, il faut toujours se ménager une porte de sortie et ne pas hésiter à la prendre. »

A l'extrémité du col apparaît un paysage digne du pléistocène ; un monde étrange de roche noire, de glace bleue et d'une neige d'un blanc aveuglant qui s'étend sur tout l'horizon. Ce que nous apercevons sous les ailes du Cessna, c'est le glacier de Kahiltna — une langue de glace de soixante-quatre kilomètres de long et de trois kilomètres de large, parsemée de séracs et de crevasses. Ce que l'on observe par les hublots dépasse l'imagination. Les pics qui bordent le glacier s'élèvent comme des murs verticaux à presque deux kilomètres au-dessus de lui. Les avalanches qui descendent périodiquement de ces parois à près de 200 km/h ont un tel trajet à parcourir qu'elles paraissent tomber au ralenti. Dans ce paysage immense, l'avion n'est qu'un minuscule point rouge, un moustique mécanique presque invisible qui, en bourdonnant, traverse le firmament en direction du mont McKinley.

Dix minutes plus tard, le moustique vire à angle droit au-dessus d'un glacier affluent appelé la Fourche sud-est et se prépare à se poser. Une piste de fortune grossièrement aménagée au moyen de sacs-poubelles attachés à des piquets en bambou se matérialise au milieu du glacier, entourée par un dédale de gigantesques crevasses. Tandis que l'avion s'approche du sol, il devient évident qu'à cet endroit le glacier est loin d'être horizontal, comme il le paraissait vu de haut. En réalité, la pente est suffisamment raide pour donner à réfléchir à un skieur novice.

A cette altitude, l'air raréfié a beaucoup diminué la puissance du Cessna. L'avion se prépare à atterrir sur la pente ascendante dans un cul-de-sac formé par des murs granitiques de mille huit cents mètres de haut. Geeting nous confie d'un ton jovial : « Quand on se pose ici, il n'est pas question de s'y reprendre à deux fois. Il faut réussir parfaitement son approche du premier coup. » Afin d'éviter les mauvaises surprises, il inspecte les crêtes avoisinantes. Des envolées de neige sur les sommets indiqueraient la présence de vents dangereux. A plusieurs kilomètres de là, en haut du lit principal du glacier, il remarque une couche de nuages effilochés passant au-dessus d'un col situé à 3 140 mètres qu'on appelle la Passe de Kahiltna. « Ça, ce sont des nuages de fœhn, dit-il. Ils indiquent que des vents extrêmement violents descendent le long des pentes. Vous ne pouvez pas le voir, mais le vent descend sur le flanc de la montagne comme une déferlante. Si l'appareil s'approchait de ces nuages, je vous garantis que ça vous retournerait les boyaux. »

Comme sur un signal, l'avion se trouve ballotté par de sévères turbulences et l'alarme de cabine se déclenche tandis que l'appareil bondit sauvagement tantôt vers le haut, tantôt vers le bas, tantôt sur le côté. Cependant, le pilote a anticipé et, déjà, il a augmenté les gaz. Avec sérénité, il sort de la turbulence et descend jusqu'au moment où les skis en aluminium de l'avion touchent avec délicatesse la surface du glacier. Parvenu en bout de piste, il fait demi-tour pour se placer en position de décollage puis coupe le moteur.

— Nous y sommes, annonce-t-il, aéroport international de Kahiltna !

En hâte, les passagers se glissent hors de l'avion, dans un froid glacial, et trois autres alpinistes, le visage rouge et pelé après un mois passé en altitude, se précipitent dans la carlingue pour aller retrouver le pays de la bière, des sanitaires et de la végétation.

Cinq minutes se sont écoulées. Geeting adresse un bref salut aux passagers à l'air ahuri qu'il vient de débarquer ; il remet le moteur en route et dévale la piste dans un tourbillon de neige. Un autre chargement d'alpinistes l'attend déjà avec impatience à Talkeetna.

Depuis mai jusqu'à la fin juin — période où le mont McKinley est le plus fréquenté — il n'est pas rare que le grondement infernal des petits avions équipés de skis emplisse le ciel de cinq heures du matin jusque bien après minuit. Si ce vacarme trouble le repos bien mérité des habitants, aucun ne s'en est plaint car l'Alaska sans avion est aussi impensable que l'Iowa sans blé.

« Les gens de l'Alaska, écrit Jean Potter dans son histoire des pilotes du bush, *The Flying North*, sont les plus grands utilisateurs d'avions de toute l'Amérique et probablement du monde... En 1939, la petite compagnie aérienne du territoire transportait vingt-trois fois plus de passagers et mille fois plus de fret par habitant que les compagnies américaines. Le gouvernement fédéral et les grandes compagnies n'étaient pas pour grand-chose dans cette situation. » Jean Potter fait remarquer que le moteur du développement de l'aviation en Alaska, ce fut un assortiment hétéroclite de pilotes exceptionnels, des hommes déterminés et ne sachant compter que sur eux-mêmes. Ils trompaient la mort quotidiennement pour livrer des produits d'épicerie, des médicaments et du courrier dans des avant-postes situés au bout du monde. A Talkeetna, Doug Geeting et ses concurrents sont en bien des points leurs héritiers spirituels.

Un pic de 3 900 mètres qui domine la piste de fortune de « l'aéroport international de Kahiltna » porte aujourd'hui le nom de Joe Crosson. C'est cet aviateur qui, en avril 1932, réalisa le premier atterrissage sur glacier. L'événement eut lieu au mont McKinley, sur le glacier de Muldrow. Crosson y déposa une expédition scientifique qui devait mesurer l'intensité des rayons cosmiques. Selon l'un des membres de ce groupe, il réalisa cet atterrissage mémorable « sans paraître y accorder une importance particulière et il alluma un cigare avant de descendre de l'avion ». Néanmoins, d'après Jean Potter, cela comportait de tels risques et occasionna tant de dommages à l'avion que ses employeurs des Alaskan Airlines lui interdirent toute nouvelle sortie sur les glaciers.

Il devait revenir à Bob Reeve, un homme énergique et bon vivant, originaire du Wisconsin, qui avait été acteur ambulant, de perfectionner l'art de voler sur les glaciers. Il avait commencé sa carrière de pilote en 1929, à l'âge de vingt-sept ans, et avait été formé à l'aviation de montagne en inaugurant les lignes très dangereuses de l'aérospatiale en Amérique du Sud. Il franchissait les Andes pour relier Lima, Santiago et Buenos Aires, où entre deux vols il lui arrivait de partager une bonne bouteille avec un aviateur français à la tenue soignée et à l'air romantique, Antoine de Saint-Exupéry, qui devait peu de temps après écrire *Le Petit Prince*.

Reeve quitta l'Amérique du Sud en 1932. Il avait encouru la colère de ses supérieurs pour avoir accidenté un coûteux Lockheed-Vega. De retour aux Etats-Unis, il perdit très vite ses économies à la Bourse et contracta la poliomyélite. Se trouvant à court d'argent, sérieusement malade, au moment où le pays était au plus fort de la Dépression, il partit sur un avion cargo pour tenter sa chance en Alaska, et c'est ainsi qu'il aboutit dans les rues misérables du port de Valdez.

Pour son malheur, en ces années noires, une armée de pilotes affamés s'était déjà installée en Alaska. Ce qui manquait, c'étaient les clients. Désespérant de trouver du travail, Reeve décida de se spécialiser dans un secteur de l'aviation que même les pilotes les plus téméraires avaient renoncé à occuper : le transport des chercheurs d'or et de leur pesant matériel sur les glaciers qui descendent des hautes montagnes autour de Valdez. Reeve apprit rapidement à éviter les crevasses inapparentes. Il découvrit que la pente des glaciers pouvait être un avantage plutôt qu'un inconvénient puisqu'elle permettait des atterrissages et des décollages plus courts. Enfin, en laissant tomber une ligne de rameaux d'épicéa ou de sacs de jute sur la neige avant d'atterrir, il parvenait à apprécier l'inclinaison du terrain par temps gris, dans des circonstances où, sans ce moyen, il lui aurait été impossible de situer précisément le sol.

Reeve imagina également un moyen de poursuivre son activité durant le printemps et l'été, période où il y avait suffisamment de neige pour atterrir sur les glaciers mais plus assez sur l'aérodrome de Valdez pour qu'un avion sur skis puisse décoller. Il recouvrit la face inférieure des skis en bois d'une plaque d'acier inoxydable qu'il avait récupérée sur le comptoir d'un bar désaffecté et, en guise de piste estivale, il utilisa la surface plane et boueuse de la baie de Valdez. A marée basse, elle offrait une étendue glissante faite de vase et d'herbe.

Lorsque Bradford Washburn — puissant alpiniste et géographe qui deviendrait plus tard directeur du musée des sciences de Boston — apprit que Reeve était capable d'effectuer des atterrissages sur glacier tout au long de l'année, il lui écrivit immédiatement pour savoir s'il accepterait de déposer une expédition sur un glacier reculé du mont Lucania (à cette époque, il s'agissait de la plus haute montagne d'Amérique du Nord à n'avoir pas encore été escaladée). C'était un projet dangereux, qui supposait un vol de près de neuf cents kilomètres au-dessus d'une région inexplorée puis un atterrissage à une altitude supérieure de six cents mètres à ce qui avait été réalisé jusque-là. Et de plus, l'avion serait lourdement chargé. « Pourtant, écrit Washburn, dix jours plus tard, je reçus un télégramme qui disait en tout et pour tout : "Partout où vous irez, je vous transporterai. Bob Reeve." »

Le premier voyage au Lucania, qui était destiné à entreposer trois cents kilos de vivres, eut lieu au début de mai 1937 et se déroula sans accroc. Mais quand Reeve y retourna un mois plus tard pour déposer Washburn ainsi qu'un autre alpiniste nommé Bob Bates, le Fairchild 51 s'enfonça jusqu'au fuselage dans une profonde épaisseur de neige molle dès qu'il eut touché le sol. Une température inhabituellement élevée avait transformé le glacier en un lac de neige fondue. Les trois hommes parvinrent à dégager l'avion et à le tirer jusqu'à un terrain plus ferme, mais chaque fois que Reeve tentait de décoller, il s'enlisait à nouveau. De cette manière, il consomma tellement de carburant qu'il n'était pas sûr d'en avoir suffisamment pour regagner Valdez. Il resta bloqué sur le glacier pendant quatre jours et quatre nuits. Le matin du cinquième jour, alors que l'avion paraissait destiné à rester définitivement sur le glacier, la température baissa légèrement, ce qui forma une fine croûte sur la surface de la neige. Reeve débarrassa l'avion de tous ses outils et de ses équipements de secours dans le but de l'alléger, il régla le pas de l'hélice pour augmenter la puissance et lança l'appareil sur la pente qui se terminait par un précipice.

« Il disparut de notre vue à l'extrémité du glacier, se souvient Washburn, tout était silencieux. Bates et moi étions persuadés qu'il s'était écrasé. Puis, tout à coup, nous avons entendu son moteur et l'avion, reprenant de l'altitude, est redevenu visible. Il avait réussi de justesse à décoller. » Lorsque le Fairchild se posa sur les étendues boueuses de la baie de Valdez, il toussotait en brûlant les dernières gouttes de son carburant.

Washburn revint du Lucania fortement impressionné par Reeve, et il fit appel à lui pour plusieurs autres expéditions. Cependant, dans les années cinquante, Reeve quitta Valdez et ne fut plus disponible, aussi Washburn dut-il se tourner vers quelqu'un d'autre lorsqu'il eut besoin d'un pilote à temps plein pour une étude cartographique du mont McKinley prévue pour durer neuf ans sans interruption. Un jeune et courageux pilote, du nom de Don Sheldon, qui était basé à Talkeetna, lui fut recommandé. Washburn rapporte que, lorsqu'il demanda à Reeve son avis sur Sheldon, la réponse fut : « Ou bien il est fou et il va se tuer, ou bien il va devenir un sacrément bon pilote. » C'est la deuxième hypothèse qui se vérifia.

Grâce à l'invention récente d'un train d'atterrissage qui permettait à l'avion de décoller sur des roues — et donc à partir d'une piste en dur — puis d'abaisser des skis pour se poser sur la neige, Sheldon fut en mesure d'offrir, depuis Talkeetna, des vols commerciaux pendant vingt-sept ans, totalisant chaque été plus de huit cents heures de vol dans le ciel peu clément de la chaîne de l'Alaska. Il vint ainsi à bout de quarante-cinq appareils — dont quatre furent démolis dans des crashs, mais ni lui ni aucun de ses passagers n'eut jamais la moindre blessure. Ses atterrissages en haute montagne et ses audacieuses missions de secours étaient légendaires, non seulement dans tout l'Alaska, mais aussi dans une grande partie du monde. Lorsqu'il mourut en 1975, d'un cancer du côlon, son nom était associé à ses exploits aéronautiques sur les glaciers.

Sa carrière coïncida avec le développement des excursions sur le McKinley. Au cours des dix dernières années de sa vie, Sheldon transportait tellement de grimpeurs que, au printemps et en été, il ne pouvait dormir en moyenne que quatre ou cinq heures par nuit. Mais malgré cette lourde charge de travail, le plus souvent, il parvenait à peine à payer ses charges. « Personne ne s'enrichit avec une affaire d'avions-taxis », explique Roberta Reeve Sheldon — veuve de Don et fille de Bob Reeve —, qui vit toujours à Talkeetna dans une modeste maison en bois, à proximité de la piste d'atterrissage. « Tout ce que vous gagnez, vous le dépensez pour les avions. Je me souviens qu'une fois nous sommes allés à la banque afin d'emprunter 40 000 dollars destinés à l'achat d'un nouveau Cessna 180. Trois mois plus tard, Don l'a détruit dans un accident sur le mont Hayes. Je vous le dis, c'est dur de payer des traites pour un avion que vous n'avez plus. »

Les malheurs financiers de Sheldon furent amplifiés par la présence d'un second pilote de glacier — également talentueux — qui s'installa à Talkeetna quelques années après lui. C'était un certain Cliff Hudson. Entre eux, la concurrence n'avait rien d'amical. Ils ne cessaient de se voler des clients et les vieux habitants de Talkeetna gardent le souvenir d'un pugilat qui brisa un présentoir de sucreries et valut aux deux hommes yeux pochés et lèvres fendues. Les choses empirèrent au point que Sheldon fut accusé de s'être approché dangereusement de Huston en plein vol. Cet incident se termina devant le tribunal et faillit lui coûter sa licence.

Avec son beau visage rude d'ex-cow-boy du Wyoming, Sheldon ressemblait en tout point à l'image qu'on se fait du fringant pilote du bush. A l'inverse, Hudson, qui est toujours vivant et continue à piloter, pourrait facilement être pris pour un vagabond du Bowery[1] à cause de sa chemise en laine usée, de son pantalon en tissu synthétique brillant et de ses mocassins noirs malodorants, qui constituent sa tenue de vol habituelle. Néanmoins, ses déficiences vestimentaires n'ont pas nui à sa réputation de pilote de glacier hors pair.

La manche à air principale du terrain d'aviation de Talkeetna est installée sur le toit de l'« abreuvoir » local, un lieu mal famé appelé le Fairview Inn. Il n'est pas rare d'entendre, dans ses salles pauvrement éclairées, des aviateurs de comptoir disputer des mérites respectifs de Hudson et de Sheldon comme s'il s'agissait de joueurs de base-ball. Au Fairview, certains habitués prétendent que Hudson est au moins aussi bon pilote que ne l'était Sheldon, en faisant valoir que — chose incroyable — il n'a pas détruit un seul appareil bien qu'il ait à son actif plus d'heures de vol en montagne que n'importe quel autre pilote vivant.

Après la mort de Sheldon, Hudson bénéficia de quelques années de prospérité, n'ayant pas de concur-

1. Quartier délabré de New York (*N.d.T.*)

rent sérieux. Mais cela ne dura pas. En 1984, il n'y avait pas moins de quatre compagnies d'avions-taxis opérant à temps plein à Talkeetna : Hudson Air Service, Doug Geeting Aviation, K2 Aviation et Talkeetna Air Taxi, chacune spécialisée dans les glaciers et dirigée par un brillant pilote désireux d'être à tout prix le meilleur. Jim Okonek, le patron de K2 Aviation, admet candidement : « Chacun d'entre nous se considère comme le meilleur et ne parvient pas à imaginer qu'on puisse choisir une autre compagnie que la sienne. »

Il n'est pas surprenant que ces fortes personnalités, placées dans un espace aussi restreint, produisent de temps en temps des étincelles. On échange des insultes. On se vole des clients. On dénonce constamment aux autorités les infractions réelles ou imaginaires des confrères. Récemment, les frictions en sont venues au point que Geeting n'adresse plus la parole ni à Okonek ni à Lowell Thomas, le propriétaire de Talkeetna Air Taxi. Cela va si mal entre Geeting et Thomas que ce dernier — un homme distingué, âgé de soixante-quatre ans, qui fut sous-gouverneur de l'Alaska — ne supporte plus d'entendre prononcer le nom de Geeting. Quand, dans le cours de la conversation, il lui faut mentionner l'existence de son jeune rival, il le désigne en disant : « cet homme ».

Le seul moment où les pilotes laissent de côté leurs différends, c'est lors de la cérémonie du Memorial Day. Leurs quatre avions volent en formation serrée au-dessus du cimetière de Talkeetna, aile contre aile, en hommage aux victimes de guerre du village. C'est un moment émouvant. Mais même en cette occasion, Geeting et Okonek ne daignent pas s'adresser la parole.

Ces derniers temps, la concurrence a poussé les pilotes à rechercher une clientèle plus large que celle des traditionnels alpinistes, chercheurs, chasseurs et mineurs. Geeting, par exemple, a signé un contrat avec le ministère de la Chasse et de la Pêche pour transporter des grizzlys qui se comportent mal jusque dans des endroits éloignés sur la chaîne de l'Alaska. Au cours d'un de ces vols, le «passager» non attaché se réveilla de son sommeil chimique et exprima son mécontentement. Avant que Geeting soit parvenu à atterrir et l'ait mis dehors, il avait saccagé l'intérieur de l'avion.

Parmi les quatre compagnies, c'est celle d'Okonek qui fait le plus d'efforts pour trouver une nouvelle clientèle. Il n'y a pas longtemps, il a transporté un photographe accompagné d'un groupe de jeunes femmes sur le glacier Ruth, l'un des plus spectaculaires du massif du McKinley. A peine arrivé, il eut la surprise de voir les jeunes femmes se déshabiller complètement et se mettre à poser sur la glace pour ce qui deviendrait un mémorable numéro de *Play Boy* intitulé «Les Femmes d'Alaska». «Si on veut s'en sortir dans ce métier, commente Okonek, il faut se montrer inventif. Avec autant de pilotes sur la place, les seuls grimpeurs ne suffisent pas à faire tourner la boutique.»

En plus des ours et des modèles, tous les pilotes emportent maintenant des cargaisons de touristes, généralement des vacanciers venus de Philadelphie ou Des Moines, pour leur faire faire un tour panoramique des glaciers. C'est même devenu une telle routine que certains esprits chagrins prétendent que le métier ne comporte plus ni risque ni romantisme, que l'aviation en haute montagne n'est guère différente aujourd'hui de la conduite d'un taxi. Okonek, colonel en retraite de l'US Air Force, ancien pilote d'hélicoptère au Vietnam, n'est pas de cet avis :

«Pour un pilote, c'est ce qu'il y a de mieux au

monde. Récemment, le pilote du commandant Cousteau m'a téléphoné pour me demander si je pouvais lui offrir une place. Les meilleurs de l'aviation civile ont exprimé le désir de venir travailler ici.

« Il n'est pas rare que j'emmène des pilotes de ligne sur les glaciers pendant leur temps de repos, poursuit Okonek, des types qui sont aux commandes de 747 pour Swiss Air ou Qantas... Ça les renverse de voir sur quelles pistes nous atterrissons et ce que nous survolons. Ce type d'aviation comporte encore beaucoup de risques. Ceux qui n'ont pas l'expérience de la montagne remonteront la Kahiltna pour faire un tour et seront désorientés à cause des dimensions extraordinaires des montagnes. Brusquement, leur petit avion se trouvera à bout de souffle, ils n'auront aucune idée de la façon de s'en sortir et ils s'écraseront sur le glacier. C'est ce qu'on voit année après année. »

D'ailleurs, les pilotes amateurs ou débutants ne sont pas les seuls qui s'écrasent sur la chaîne de l'Alaska. En 1981, un aviateur expérimenté de Talkeetna, nommé Ed Homer, emmena un après-midi deux amis pour une promenade autour du McKinley. En traversant la passe de Kahiltna, il fut pris dans des courants descendants et son Cessna s'écrasa dans la montagne. Lorsque les sauveteurs purent atteindre l'épave, quatre jours plus tard, l'un des passagers était mort, l'autre avait perdu ses deux mains à cause du gel et Homer ses deux pieds. « On est souvent à la limite, dans ce métier, insiste Lowell Thomas. Il faut être capable de reconnaître quand on la dépasse. Et il arrive — généralement quand on fait appel à nous pour porter secours à des alpinistes qui se sont mis en difficulté — que nous fassions des choses où nous disposons d'une marge très faible. »

Geeting obtient plus que sa part de ces vols périlleux. Il y a plusieurs années, un grimpeur avait fait une chute de vingt et un mètres dans une crevasse sur le mont Foraker — un pic de 5 303 mètres, proche du McKinley — et il souffrait de graves blessures à la tête. Pendant deux jours, le temps nuageux empêcha l'envoi de secours. Puis un médecin qui se trouvait sur place lança un message désespéré : le blessé mourrait s'il n'était pas transporté rapidement à l'hôpital. «Le ciel était complètement bouché, se souvient Geeting. La visibilité était nulle depuis le glacier jusqu'à 3 300 mètres. Mais j'avais déjà atterri sur le Foraker et j'avais bien mémorisé la position des sommets voisins et des lignes de crête. J'ai donc décidé de tenter d'évacuer ce type.»

Son plan consistait à s'approcher du Foraker en restant au-dessus des nuages, de faire le point et d'établir un plan de vol précis dans la purée de pois. «Il fallait aller tout droit pendant exactement une minute, explique-t-il, puis virer pendant une minute, aller à nouveau tout droit pendant une autre minute et virer encore pendant une minute. C'était le brouillard total, je ne voyais rien du tout mais j'avais confiance dans mon plan de vol et je m'y suis tenu. Pour avoir un point de repère, j'ai demandé à ceux qui étaient sur le glacier de crier dans la radio chaque fois qu'ils m'entendraient passer au-dessus d'eux.»

A partir du moment où il plongea dans les nuages, Geeting ne pouvait plus revenir en arrière. Les montagnes environnantes, cachées par la brume, ne lui laissaient aucune marge d'erreur. Si le pilote accomplissait son virage avec quelques secondes de retard, ou s'il allait un peu trop à droite ou à gauche, il augmenterait son déportement à chacune des manœuvres suivantes et l'appareil finirait par s'écraser à 200 km/h sur l'une des montagnes glacées parmi la douzaine entre lesquelles il évoluait.

«Je suis descendu dans les nuages entre les murs de la montagne, raconte Geeting, en surveillant de très près la boussole, la montre et l'altimètre, et en notant à quel moment les alpinistes lançaient leur signal dans la radio. Je prévoyais que l'atterrissage aurait lieu exactement à 2 133 mètres, aussi, quand l'altimètre a indiqué 2 300 mètres, je me suis mis dans l'axe, j'ai ralenti jusqu'à la vitesse d'atterrissage et j'ai continué ainsi. C'était vraiment étrange parce que, dans un tel brouillard, on est incapable de dire quand finit le ciel et quand commence le glacier. Soudain l'altimètre a indiqué zéro. J'ai juré. Puis j'ai regardé autour de moi et j'ai aperçu les alpinistes qui couraient dans le brouillard vers l'avion. C'était bien le diable si je n'étais pas sur le sol!»

6

LE CLUB DU DENALI

Avant de vous laisser partir sur le mont McKinley, les rangers qui surveillent les activités alpines dans le parc national du Denali vous obligeront à assister à une projection de diapositives sur les dangers que comporte la plus haute montagne d'Amérique du Nord, tout comme le fait l'armée lorsqu'elle montre à ses nouvelles recrues qui partent en permission des films sur les ravages causés par les maladies vénériennes. Ce spectacle de dix minutes insiste lourdement sur des images d'avalanches foudroyantes, de tentes écrasées par la tempête, de mains déformées par d'horribles gelures et de corps grotesquement distordus que l'on extrait des profondeurs d'énormes crevasses. A l'instar des projections de l'armée, celle des rangers est assez spectaculaire pour donner la chair de poule à l'épiderme le plus épais. Mais en tant qu'instrument destiné à susciter un comportement raisonnable, elle est tout aussi inefficace.

Prenons par exemple le cas d'Adrian Popovitch, mieux connu sous le nom d'Adrian le Roumain. Il y a quelques années, cet homme tapageur au beau visage brun et au caractère lunatique, alors qu'il avait entre vingt et trente ans, parvint à fuir son pays et à s'installer aux Etats-Unis. Il avait un peu pratiqué l'escalade en Roumanie, suffisamment pour se rendre compte qu'il possédait un don naturel pour cette activité, et, à son arrivée en Amérique, il décida de s'entraîner à fond. A cette fin, il se mit à passer la plus grande partie de ses journées sur le « Roc », à Seattle. Il s'agit d'un rocher en béton de neuf mètres de haut, installé sur le campus de l'université, où de nombreux garçons et filles aux doigts d'acier et aux tenues en Lycra s'entraînent et se livrent à des compétitions d'escalade.

Adrian devint donc l'un des plus ardents grimpeurs du Roc, ce qui ne fit qu'attiser la flamme de son ambition. Il en vint à annoncer qu'il allait, au printemps 1986, faire l'ascension en solitaire du McKinley et devenir ainsi le premier Roumain à avoir atteint la cime de la plus haute montagne d'Amérique du Nord.

En entendant ces propos, des esprits chagrins eurent vite fait d'indiquer que les difficultés du McKinley étaient assez différentes de celles que présentaient les voies du Roc, même les plus ardues. Ils firent ensuite remarquer qu'une escalade en solitaire, au sens strict de l'expression, était impossible au milieu des quelque trois cents alpinistes qu'Adrian croiserait sur son itinéraire. Cependant le Roumain n'était pas homme à se laisser dissuader par de telles pinailleries.

En arrivant en Alaska, il ne fut pas non plus découragé lorsque, à l'enregistrement de son ascension auprès des autorités, un ranger aux manières courtoises, Ralph Moore, lui suggéra qu'il serait suicidaire d'entreprendre une ascension du McKinley sans tente, ni pelle pour creuser un abri dans la neige, ni réchaud. En effet, Adrian ne possédait rien de tout cela. Moore lui demanda en particulier comment il ferait fondre de la neige afin de boire pendant les trois semaines que nécessite généralement l'ascension. «J'ai de l'argent, répondit Adrian comme si cela allait de soi, j'achèterai de l'eau aux autres grimpeurs.»

On le fit assister à la projection de diapositives. Il y apprit que le McKinley avait tué plus d'alpinistes que l'Eiger; qu'à mi-chemin du sommet les conditions atmosphériques étaient plus rudes qu'au pôle Nord, avec des températures de −40 °C et des vents soufflant à 150 ou 200 km/h pendant des jours, parfois des semaines, sans discontinuer. On lui remit un fascicule qui l'avertissait entre autres choses que sur le mont McKinley «les effets combinés du froid, du vent et de l'altitude constituent peut-être le climat le plus hostile à l'homme qui existe sur terre». Adrian réagit à ces mises en garde en invitant les rangers à se mêler de leurs propres affaires.

Moore, qui n'avait pas le pouvoir de l'empêcher d'accéder à la montagne (mais seulement la responsabilité de lui porter secours ou de ramener son corps s'il en était requis), finit par se résigner, acceptant le fait que rien ne convaincrait ce Roumain chaud du bonnet de renoncer à son projet. Tout ce qu'il pouvait faire, c'était demander à quelqu'un de lui prêter un réchaud et une tente, et d'espérer que la chance serait de son côté.

Ce fut le cas en un sens, puisque Adrian ne perdit pas la vie. Il atteignit l'altitude de 5 790 mètres sans tomber dans une crevasse et sans être atteint par des gelures. Mais son impatience l'avait empêché de respecter les délais d'acclimatation à l'altitude et, par ailleurs, il ne but pas suffisamment, ce qui provoqua une déshydratation sérieuse. Il avait par là contrevenu aux deux règles principales de la survie en haute altitude. Tandis qu'il avançait seul vers le sommet, respirant l'air raréfié et glacial, il se mit à souffrir d'étourdissements et de nausées qui le faisaient vaciller comme s'il était ivre.

Il était en train de vivre les premiers symptômes d'un œdème cérébral, une enflure du cerveau produite par une ascension trop rapide à une altitude trop élevée. Terrifié par ce qui lui arrivait, éprouvant de plus en plus de difficulté à garder les idées claires et à se tenir debout, il parvint malgré tout à redescendre jusqu'à l'altitude de 4 350 mètres où, avec un autre prétendu soloïste — un Japonais dont les pieds étaient si gravement gelés que tous ses orteils durent être amputés —, il fut évacué par le pilote de glacier Lowell Thomas vers un hôpital d'Anchorage. Lorsqu'on lui présenta la facture de cette évacuation hautement risquée, il refusa de payer, laissant au service du parc national le soin de régler la note.

Cette montagne, qui porte officiellement le nom du vingt-cinquième président des Etats-Unis (mais la plupart des alpinistes mettent un point d'honneur à lui donner son nom autochtone de Denali), est si grande qu'elle défie l'imagination. C'est l'une des plus vastes formations géologiques de la planète. Son sommet s'élève à plus de 5 180 mètres au-dessus de la toundra qui s'étend à sa base. Par comparaison, le sommet de l'Everest se situe à 3 650 mètres au-dessus des plaines environnantes.

Objet d'une âpre compétition, le sommet du McKinley fut atteint pour la première fois en 1913, en suivant la route nord, par une équipe que menait l'archidiacre épiscopal du Yukon, Hudson Stuck. Ce n'est que dix-neuf ans plus tard que la montagne fut à nouveau escaladée, mais ensuite cinq mille personnes environ ont renouvelé l'exploit du révérend Stuck. Au fil des ans, le McKinley a connu des hauts faits mémorables et des personnalités hors du commun.

En 1961, le grand alpiniste italien Ricardo Cassin conduisit une cordée en haut de l'élégant pilier de granit qui s'élève au milieu de la face sud de la montagne. Exploit suffisamment impressionnant pour que le président Kennedy adresse à ses auteurs un télégramme de félicitations. En 1963, sept casse-cou, étudiants à Harvard, prirent un itinéraire direct, en plein milieu du Mur Wickersham, une paroi de 4267 mètres balayée par les avalanches. Cet acte était tellement téméraire, ou insensé, qu'il n'a depuis lors été imité par personne. Au cours des années soixante-dix et quatre-vingt, des maîtres aussi réputés que Reinhold Messner, Doug Scott, Dougal Haston et Renato Casarotto installèrent de nouvelles cordes dans leur sillage, comme autant de défis.

On peut affirmer sans risque d'être démenti que la plupart de ceux qui entreprennent une ascension du McKinley ne le font pas afin de rechercher la solitude des grands espaces. Il existe plus de vingt itinéraires pour atteindre le sommet mais la très grande majorité de ceux qui s'attaquent à la montagne suivent la même route, celle du Pilier-Ouest, qui fut découverte par Bradford Washburn en 1951. En 1987, sur les huit cent dix-sept grimpeurs qui sont venus sur le mont McKinley, presque sept cents ont emprunté cette voie. En mai et juin, alors que les faces et les arêtes avoisinantes sont souvent complètement vides, des files d'alpinistes montent comme des fourmis le long de ce pilier. « L'affluence est telle, écrit Jonathan Waterman dans *Surviving Denali,* que dans les parties élevées, là où des vents soufflant en tornade chassent la neige juste après sa chute, les grimpeurs doivent choisir très soigneusement la neige dont ils vont faire usage pour leur cuisine au milieu d'une étendue parsemée d'excréments... Heureusement, au-dessous de 4500 mètres les fréquentes précipitations de neige recouvrent les étrons, les cadavres, les ordures et les équipements abandonnés. »

Un grimpeur dépensera en moyenne entre 2000 et 3500 dollars (la somme peut monter à plus de 3500 ou même à 5000 dollars s'il fait appel aux services d'un guide, comme le font quarante pour cent des grimpeurs) et devra se soumettre pendant trois semaines à un châtiment peu ordinaire et cruel. Il ne le fait pas pour communier avec la nature, mais parce qu'il (ou elle : il y a à peu près dix pour cent de femmes) désire ardemment ajouter une nouvelle victoire à son palmarès. Et en montant en troupeau par le Pilier-Ouest — la voie la plus facile — il espère mettre toutes les chances de son côté. Dans la moitié des cas, c'est le McKinley qui gagne. Certaines années, il fait même mieux. Par exemple, pour avril et mai 1987, les statistiques du parc national indiquent que six grimpeurs sur sept ont dû rentrer chez eux sur un échec. J'étais l'un d'entre eux.

Les choses avaient assez bien commencé. J'étais arrivé à Talkeetna, le point de départ traditionnel des expéditions sur le McKinley, et je pensais devoir y séjourner trois ou quatre jours pour attendre que la météo permette à l'avion de décoller, comme cela avait été le cas la dernière fois que je m'étais rendu dans la chaîne de l'Alaska, douze ans auparavant. Je fus donc agréablement surpris que, quatorze heures à peine après mon arrivée, on me pousse à l'arrière du petit Cessna rouge de Doug Geeting. Quarante minutes plus tard, j'étais déposé intact à « l'aéroport international de Kahiltna ». Au-dessus de la piste, à exactement 4 060 mètres à la verticale, le sommet du mont McKinley scintillait dans un ciel parfaitement pur. Mais le chemin qui, au nord, serpentait vers lui était long de vingt-quatre kilomètres.

Il était plutôt déconcertant d'être arraché à l'abri chaleureux du Fairview Inn à Talkeetna pour être ensuite lâché dans un paysage de granit vertical couvert de glace, parcouru par les avalanches et si immense qu'il réduit l'être humain à des proportions insignifiantes. Mais tous les quarts d'heure, un autre Cessna ou un Heliocourier descendait du ciel pour dégorger un nouveau chargement de grimpeurs et les files d'alpinistes qui s'allongeaient le long de la piste d'atterrissage étaient loin d'atténuer le choc causé par cet environnement inhospitalier.

Trente ou quarante tentes étaient installées sur la pente qui domine le rudimentaire terrain d'aviation. Elles abritaient une armée de grimpeurs qui, tout en inventoriant leurs affaires et en préparant leur sac en vue de l'ascension à venir, s'interpellaient bruyamment dans au moins cinq langues différentes. Rob Stapleton — un homme de haute taille à l'aspect austère, qui a été engagé par plusieurs pilotes afin de séjourner à « l'aéroport » en tentant d'y maintenir un semblant d'ordre — remuait la tête en considérant que, parmi tous ces gens, un certain nombre allaient au-devant de gros ennuis. « C'est incroyable, dit-il, le nombre de ces groupes qui, à peine arrivés ici, sont déjà désorganisés et complètement paumés. Parmi tous ces types, il y en a trop qui fonctionnent avec quatre-vingt-dix pour cent d'énergie et dix pour cent de jugeote. »

Cette énergie collective — bien utilisée ou non —

constituait un antidote fort bienvenu à l'effort fastidieux qu'exigeait la montée depuis la piste d'atterrissage jusqu'aux glaciers situés deux mille mètres plus haut. Il fallait une semaine à la plupart des équipes pour l'effectuer. Quant à moi, j'étais venu seul en Alaska, mais comme je remontais chaque jour le glacier de Kahiltna à ski, je me trouvais inévitablement englué dans une excellente et réconfortante procession — une ligne apparemment interminable de grimpeurs qui progressaient stoïquement en portant sur leur dos une charge vacillante de cinquante kilos. Ils me faisaient penser à la ruée vers l'or dans le Klondike. Pendant la première semaine, le temps fut ce qu'on pouvait espérer de mieux : le soir, il faisait un froid glacial et il tombait suffisamment de neige pour faire une bonne promenade à ski dans la poudreuse ; mais le jour, en général, le soleil brillait.

Il arrivait parfois qu'un groupe de grimpeurs, qui avaient échoué dans leur tentative, nous croisent au cours de leur descente en nous prévenant qu'au-dessus de 4 200 mètres sévissaient des vents très violents et un froid intense, mais ceux d'entre nous qui partaient pour le sommet conservaient avec quelque suffisance la conviction que, quand ils seraient parvenus à cette altitude, ces conditions auraient changé. Même après avoir rencontré deux Ecossais dont le compagnon venait d'être évacué par hélicoptère après une chute de deux cent quarante mètres, puis deux autres alpinistes — un Yougoslave et un Polonais (tous deux ayant déjà l'expérience de l'Himalaya) — qui redescendaient après avoir failli mourir d'un œdème pulmonaire, l'optimisme des nouveaux venus, fraîchement débarqués du Cessna, restait inébranlable.

A l'occasion des procédures d'enregistrement, les

rangers demandent aux grimpeurs de donner le nom officiel de leur expédition, ceci pour la bonne tenue des dossiers. Les équipes qui se trouvaient sur la montagne en même temps que moi portaient des dénominations officielles telles que « les Têtes marchantes » ou « Dick Danger et ses membres fringants ». En arrivant dans le vaste campement situé à 4 360 mètres que les alpinistes utilisent comme base de départ pour s'attaquer à la partie supérieure de la montagne, je déposai mon sac auprès de deux Membres fringants qui étaient en conversation tendue avec un autre alpiniste.

Ce dernier jetait avec mépris : « Je vais te dire une bonne chose, mon gros, dans mon pays, quand quelqu'un fait ce que tu as fait, on le colle au mur et on l'exécute ! » Je n'avais aucune idée de l'objet de la dispute, mais ce lourd accent étranger m'était familier. Je l'avais souvent entendu lors de fulminations semblables sur le « Roc » de Seattle : Adrian le Roumain était de retour sur le mont McKinley. On ne pouvait qu'admirer son culot, pensai-je. Les rangers étaient encore furieux d'avoir dû régler la note de ses secours.

Mais Adrian avait eu longuement le temps de réfléchir à sa déroute de l'année précédente et était bien déterminé à ne pas échouer cette fois-ci : « Pendant tout l'hiver, je n'ai fait qu'y penser. Ça me rendait fou. » Bien qu'il soit à nouveau venu seul, il possédait cette fois un assortiment complet du meilleur équipement, avec notamment non pas une mais *deux* tentes. Il avait transporté jusqu'à 4 360 mètres une double provision de nourriture et de pétrole qui lui permettrait de rester sur la montagne pendant deux mois, si nécessaire. Cela révélait une approche plus lucide des problèmes de l'acclimatation.

En deux occasions, il était bel et bien monté jusqu'à

5 790 mètres mais avait jugé plus prudent de redescendre à cause des conditions atmosphériques. «Je vais te dire quelque chose… (le nouvel Adrian avait pris l'habitude d'admonester tous ceux qu'il pouvait agripper par le revers de la veste) c'est une très grosse montagne. Si tu fais seulement une petite erreur, elle te renvoie en bas d'un coup de pied dans les fesses.» Il suffisait d'observer l'aspect du campement pour comprendre que ceux qui avaient atteint ces 5 790 mètres commençaient à avoir la même pensée.

Le «campement» était en réalité un véritable village de tentes, avec une population qui oscillait entre quarante et cent vingt personnes selon les périodes. Il s'étendait à l'extrémité d'un plateau glaciaire désolé. D'un côté la montagne formait un rempart de granit, de neige et de glace bleue qui montait jusqu'au sommet, mille huit cents mètres au-dessus. De l'autre côté, le plateau s'étendait sur plusieurs centaines de mètres avant de se terminer par un précipice de mille deux cents mètres.

Dans le but d'empêcher le vent d'arracher les amarrages de leurs tentes et d'emporter celles-ci vers le précipice, les alpinistes ont pris l'habitude de les dresser à l'intérieur de profonds bunkers entourés de murs épais en neige tassée. Cela donne au camp un air de guerre. On a l'impression qu'un tir d'artillerie peut survenir à tout moment. Il va de soi que le creusement de ces bunkers constitue un formidable travail. Aussi, lorsque j'en trouvai un bon, profond à souhait, dont les occupants étaient récemment partis, en pris-je aussitôt possession en faisant abstraction du fait qu'il était situé dans l'un des pires voisinages, celui des latrines, continuellement fréquentées, du camp. Elles étaient constituées d'un trône en contreplaqué ouvert aux éléments. On y disposait d'une vue intéressante, mais la chair y était dangereusement exposée à un vent glacé qui descendait souvent à –70 °C.

A l'autre extrémité du campement, le quartier chic se distinguait par un complexe d'igloos, de tentes en dôme à l'épreuve des bombes et de locaux préfabriqués chauffés au propane qui servaient de bureaux et de résidence au Dr Peter H. Hackett et à ses collaborateurs. Depuis 1982, chaque été, ce médecin alpiniste mince, laconique, aux traits tirés, qui est l'autorité mondiale en matière de pathologie de la haute altitude, ouvre son cabinet sur le campement pour y mener ses recherches. S'il vient ici, déclare-t-il, c'est parce qu'il est sûr d'y trouver une bonne quantité de malades très atteints : « Beaucoup de gens viennent sur le McKinley sans savoir où ils mettent les pieds. Ils grimpent trop vite et tombent sérieusement malades. J'ai toujours des cobayes tout frais à ma porte. » Au moins une douzaine de ces cobayes auraient perdu la vie s'ils n'avaient reçu les soins de Hackett et de ses assistants.

Il précise tout de suite : « Nous n'effectuons jamais d'expérience que nous ne réaliserions pas sur nous-mêmes. » Ainsi, son assistant Rob Roach était en train d'essayer personnellement un nouveau médicament teinté en bleu contre le mal d'altitude. A en juger par la couleur verdâtre de sa peau et par les taches de vomi bleues sur ses chaussures, il semblait que le remède n'était pas encore au point.

J'appris plus tard que l'équipe de Hackett ne recevait aucune rémunération pour les soins dispensés et que, de plus, n'ayant pas obtenu de financement pour 1986 et 1987, ces médecins assuraient sur leurs deniers la plus grande partie des frais. Je demandai à l'un d'eux, le Dr Howard Donner, pourquoi lui-même et ses confrères venaient de leur plein gré passer leur été à travailler dans cet endroit perdu. Pendant que je lui parlais, il essayait de réparer une antenne de radio brisée. Il tremblait dans le blizzard, la nausée et un terrible mal de tête le faisaient chanceler. « Eh bien, m'expliqua-t-il, c'est une manière de s'amuser mais différente. »

Le Pilier-Ouest du McKinley, dit-on souvent, présente toutes les difficultés techniques d'une longue promenade dans la neige. C'est plus ou moins vrai. Mais il est également vrai que si par exemple un lacet de chaussure vous fait trébucher au mauvais moment, vous pouvez très bien vous tuer. C'est ainsi que, entre 4 800 et 5 200 mètres, l'itinéraire suit une arête mince comme une lame de couteau. D'un côté, la chute est de six cents mètres, de l'autre, de neuf cents. Par ailleurs, même sur un terrain plat d'apparence inoffensive peuvent se dissimuler des crevasses dont beaucoup seraient capables d'engloutir un autobus.

Ce qui ne veut pas dire que seules les énormes crevasses sont dangereuses. En février 1984, le Japonais Naomi Uemura, alpiniste et explorateur polaire renommé, disparut à mi-descente après avoir réalisé la première ascension du McKinley en hiver. On pense généralement qu'il est tombé dans l'une de ces crevasses relativement petites parsemant la large voie qui conduit du campement à l'arête en lame de couteau. D'ailleurs, c'est dans l'une de ces crevasses qu'au printemps 1986 deux jeunes mariés de Denver faillirent mettre un terme à leur lune de miel que, pour des raisons connues d'eux seuls, ils avaient tenu à passer sur le mont McKinley.

« Les Jeunes Mariés » — c'est sous ce nom qu'Ellie et

Conrad Miller avaient officiellement enregistré leur expédition — campaient avec Adrian le Roumain et trois autres groupes dans un bunker surpeuplé et mal protégé qui se trouvait être voisin du mien. Le 16 mai, le couple monta jusqu'à l'altitude de 5 240 mètres pour y entreposer des provisions de nourriture et de pétrole dans la perspective de l'assaut final. Cet après-midi-là, ils redescendaient vers le campement lorsque Conrad, qui marchait en tête, passa brusquement au travers d'un mince pont de neige et tomba dans le vide « en ricochant comme une bille de flipper » sur les murs d'une crevasse étroite mais très profonde.

Au-dessus de cette crevasse, la pente était assez raide et la chute de Conrad fit perdre l'équilibre à Ellie et la tira vers le gouffre. Mais juste au moment où elle allait tomber à son tour dans la faille, elle parvint à accrocher la lame de son piolet sur une prise ferme, arrêtant ainsi sa chute et celle de Conrad.

Suspendu à quinze mètres de la surface dans un crépuscule bleuté, celui-ci examina d'abord son pantalon pour s'assurer qu'il ne s'était pas souillé dans sa frayeur (ce n'était pas le cas) puis il vérifia qu'il n'avait rien de cassé. Enfin, pendant qu'Ellie tirait sur la corde, il cramponna lentement sur le mur vertical. Tout en remontant péniblement, Conrad avait la conviction que s'il était tombé jusqu'en bas, la dernière chose qu'il aurait vue aurait été « le cadavre gelé de Uemura ».

Conrad — un architecte de trente-six ans — et Ellie — une vendeuse de vingt-huit ans — étaient tous deux dans un sérieux état de choc, mais ils restaient déterminés à atteindre le sommet du McKinley. Deux jours plus tard — malgré la tempête qui faisait rage et en dépit des prévisions qui en annonçaient une autre, plus forte encore —, ils repartirent dans l'intention d'atteindre leur dépôt de provisions, d'y attendre une amélioration du temps, puis de foncer vers le sommet.

Mais la tempête, qui se renforça ce jour-là, se révéla infiniment plus sévère et durable que les Jeunes Mariés ne l'avaient cru. A 5 240 mètres, la température tomba à −50 °C. Depuis plus d'une semaine, le vent soufflait en tornade sur la montagne presque sans arrêt, aggravant encore l'effet du froid. Il était hors de question non seulement de grimper mais même de dormir. Ellie et Conrad en étaient réduits à rester sous leur tente, recouverts de tous leurs vêtements disponibles, et à prier pour que leur abri ne se déchire pas aux coutures (peu de temps avant leur arrivée à 5 240 mètres, une tente très robuste avait explosé de cette manière au milieu de la nuit, laissant ses trois occupants dans une situation très inconfortable).

La tornade qui battait la partie supérieure de la montagne était très dure à supporter ; elle nous atteignait aussi dans les conditions relativement sûres du campement. Chaque fois que le vent se calmait sur le camp inférieur, on pouvait entendre un rugissement profond, sauvage, gémissant — semblable au bruit d'une fusée qui décolle —, venu de la ligne de crête, mille mètres plus haut. Aux premiers signes de cette tempête, la plupart des vingt ou trente grimpeurs qui se trouvaient en altitude pensèrent immédiatement qu'il fallait avant tout se tirer d'affaire et ils redescendirent vers le campement. Mais pas les Jeunes Mariés.

Lors de leur arrivée à 5 240 mètres, ils avaient remarqué l'entrée d'une grotte creusée dans la glace. Pensant qu'ils y trouveraient plus de sécurité que sous leur tente, Ellie entreprit de l'explorer. C'était une cavité en forme de T, creusée profondément. Une entrée de quatre mètres cinquante conduisait au tunnel principal disposé transversalement et au moins deux fois plus long. Incontestablement, on y était mieux protégé des éléments que sous la tente, mais un rapide examen de l'entrée convainquit Ellie qu'il valait encore mieux tenter sa chance à l'extérieur, dans le maelström.

« L'intérieur de cette grotte, raconte-t-elle, était incroyablement lugubre. Sombre et humide, elle avait de quoi rendre claustrophobe. C'était un trou de l'enfer, absolument hideux. Il n'était pas question que je m'installe dans cet endroit. »

Le tunnel n'avait qu'un mètre vingt de haut. Des ordures jonchaient le sol, les murs étaient tachés d'urine, de vomi et de Dieu sait quoi d'autre. Mais le plus inquiétant, c'étaient les créatures qui logeaient dans ce souterrain obscur. « Il y avait là sept ou huit types très étranges, poursuit-elle. Cela faisait des jours qu'ils étaient dans la grotte et ils n'avaient plus de nourriture depuis longtemps. Ils restaient simplement assis, revêtus de tous leurs vêtements, en tremblant dans l'air suffocant. Ils respiraient la fumée épaisse d'un réchaud et chantaient des chansons d'émissions de télévision. Plus que bizarres. J'ai décampé à toute vitesse. »

Les hommes de la grotte appartenaient à deux expéditions différentes. Il y avait un trio venu de Flagstaff, en Arizona, qui s'appelait le Club des Fêlés. Ils étaient là depuis la veille. L'autre groupe — le plus étrange — s'y trouvait depuis presque une semaine. C'étaient Dick Danger et ses Membres fringants.

Dick et les Membres — c'est-à-dire Michael Dagon, Greg Siewers, Jeff Yates et Stephen « Este » Parker — étaient quatre habitants de l'Alaska âgés d'une trentaine d'années. Rudes, arrogants, impudents même, ils n'avaient que très peu d'expérience de la montagne mais ils s'étaient entraînés et voulaient à tout prix atteindre le sommet du McKinley. Dagon — Dick Danger en personne — avait renoncé à la viande rouge et à l'alcool pendant un an pour se préparer à l'expédition. Il s'était entraîné et avait mis au point son projet avec tant d'acharnement que sa femme l'avait quitté.

Les Membres, semble-t-il, étaient arrivés au campement le 9 mai. Le lendemain, Yates fut atteint d'un œdème pulmonaire — une forme non aiguë mais néanmoins potentiellement mortelle. La plupart des grimpeurs auraient fait rapidement demi-tour, mais les trois Membres valides laissèrent Yates se reposer, transportèrent une provision de nourriture à 4 876 mètres puis regagnèrent leurs tentes pour y passer la nuit. Le lendemain matin, considérant que l'état de Yates n'avait pas empiré, les quatre hommes repartirent dans l'intention d'établir un camp en altitude d'où ils s'élanceraient vers le sommet.

Le 13 mai, quand les Membres parvinrent à 5 240 mètres, ils installèrent leurs tentes à l'intérieur d'un bunker assez mal construit qui voisinait avec d'autres plus solides qu'occupaient une demi-douzaine d'expéditions parmi lesquelles on comptait une équipe du personnel du parc dirigée par le ranger Scott Gill, un groupe conduit par un guide chevronné, Brian Okonek, et un autre composé de membres de la police montée de Montréal en vacances. A ce moment-là, les Membres pensaient avoir assez de nourriture pour trois jours, peut-être quatre en faisant attention. Mais le 18 mai, la tempête durait toujours et il ne restait presque plus de nourriture.

Pour compliquer la situation, le ranger Gill reçut dans l'après-midi de ce jour un bulletin météo par radio qui annonçait l'arrivée d'un front orageux encore plus intense. Cette « tempête majeure de trois jours », selon la formulation des météorologues, devait atteindre le haut de la montagne dans un délai de quelques heures. Quand on lui demanda quelle serait son intensité, la personne qui donnait le bulletin par radio répondit sur un ton macabre : « Eh bien, suffisamment intense pour faire périr tous ceux qui se trouveront au-dessus de 4 500 mètres quand elle arrivera. »

« Soudain, rapporte Yates, ce fut comme un sauve-qui-peut. Les autres groupes déguerpirent aussitôt, mais il nous fallut trois heures pour remballer nos affaires et, le temps qu'on se mette en route, nous avions la tempête sur le dos. Comme on n'y voyait rien, on perdit tout de suite la piste. Le vent soufflait si fort que quelqu'un de l'une des dernières équipes à être parties avait abandonné son sac à dos. Nous avions à peine descendu deux longueurs de corde qu'il devint évident que nous n'y arriverions pas. Alors, nous avons fait demi-tour. »

« A cet instant, poursuit Dagon, nous avons pensé que nous étions dans une profonde mélasse. » Ils remontèrent les tentes et les amarrèrent au sol par un réseau de cordes d'escalade mais, malgré cela, ils craignaient que le vent ne les emporte tout droit dans le précipice. Ce fut alors que Brian Okonek, qui était bien en sécurité dans son gros bunker, leur parla de la grotte. C'est lui-même qui l'avait creusée pendant une tempête en 1983, leur dit-il, et il avait ainsi sauvé la vie de dix-huit grimpeurs.

Mais au cours des années, des paquets de neige l'avaient obstruée. Il fallut aux Membres, aidés par une autre expédition appelée 5150, six heures d'efforts pour creuser dans le froid et la dégager. Les quatre Membres eurent tous des doigts et des orteils gelés. Mais une fois qu'ils se furent installés à l'intérieur, ils conçurent un goût pervers pour l'existence cavernicole. Malgré leurs gelures et le manque de nourriture, ils décidèrent d'attendre la fin de la tempête, quelle que soit sa durée, et de partir ensuite pour le sommet.

Pendant ce temps, la vie au campement, à 4 360 mètres, était indéniablement plus confortable, mais non sans difficultés cependant. Enfermés dans le camp, relativement à l'abri de la tempête qui faisait rage sur les hauteurs, les résidents prirent leur mal en patience. Ils faisaient voler des cerfs-volants, skiaient sur les pentes protégées, juste au-dessus du camp, ou s'entraînaient à l'escalade glaciaire sur les flancs d'un sérac tout proche. Mais la tempête se prolongeant et les provisions de nourriture, de pétrole et d'énergie commençant à s'épuiser, une dépression collective s'installa peu à peu dans notre cité de tentes.

Quand la radio de la tente médicale confirma le bruit selon lequel cinq alpinistes estimés avaient été tués dans des avalanches sur des pics voisins — le Foraker et le Hunter —, l'atmosphère devint plus sinistre encore. Les gens en vinrent à rester enfermés jour après jour dans leur misérable petit bunker en se chamaillant et en grelottant à l'intérieur de leur tente. Ils n'en sortaient que pour se rendre aux latrines ou pour dégager un passage à la pelle au travers des tas de neige. J'entendis un jour un grimpeur d'une tente voisine lancer à son partenaire : « C'est toi qui as eu l'idée de venir dans cette saleté d'expédition : je t'avais bien dit qu'il valait mieux aller faire de l'escalade dans le Yosemite ! »

Plus la tempête se prolongeait, plus les trocs de vivres se faisaient âpres et sans scrupules. Certaines expéditions disposant d'une large provision de produits de valeur comme le papier toilette, les cigarettes, le Diamox (un médicament contre le mal d'altitude) ou des barres lactées les échangeaient selon un barème qui leur était de plus en plus favorable. Je dus céder une demi-livre d'un excellent fromage pour obtenir trois comprimés de Diamox. Adrian, qui possédait un stock enviable de nourriture, parvint à alléger l'ennui de cette interminable attente en louant un baladeur contre quelques sucreries.

Pendant cette période sombre, je me mis à voir sous un jour différent, plus sympathique, le fiasco d'Adrian l'année précédente. Je fus obligé d'admettre que pour ma propre expédition, la première sur le Denali, j'avais moi aussi très largement sous-estimé la difficulté de cette montagne. J'avais prêté l'oreille aux avertissements des rangers ; j'avais entendu des alpinistes aussi expérimentés que Peter Habeler dire que les tempêtes du McKinley étaient les pires qu'il ait connues ; je savais que quand Dougal Haston et Doug Scott avaient réalisé leur ascension, six mois à peine après être allés au sommet de l'Everest, Haston avait déclaré qu'ils avaient dû puiser dans toute leur expérience himalayenne pour survivre. Et néanmoins, d'une certaine façon — tout comme Adrian en 1986 —, je n'avais pas vraiment cru ce que j'entendais. Certains de mes choix le révélaient amplement. J'avais emporté un malheureux sac de couchage vieux de dix ans, ainsi qu'une tente d'occasion ; j'avais négligé de me munir d'une veste en duvet, de guêtres, d'une scie à neige et de piquets de neige. Je m'étais imaginé que le Pilier-Ouest était un chemin de campagne et j'avais refusé de croire que cette escalade, que font chaque année trois cents pékins, pouvait être éprouvante.

Qu'elle soit très éprouvante pour les gens comme moi, ce fut bientôt clair. J'étais constamment mal en point et souvent au bord du désastre. Ma tente commençait à tomber en lambeaux, même dans les conditions de calme relatif du campement. Le froid, de plus en plus vif, me fendait les doigts et les lèvres au point de les faire saigner ; mes pieds étaient engourdis en permanence ; la nuit, même en revêtant tout ce que j'avais, il m'était impossible de combattre de violents accès de tremblements ; la condensation de mon haleine avait formé une épaisse couche de givre à l'intérieur de la tente, et ce givre se transformait en un blizzard continu lorsque le vent secouait la toile de Nylon. Tout ce qui n'était pas mis à l'abri dans mon sac de couchage — appareil photo, lunettes de soleil, bouteilles d'eau, réchaud à pétrole — se transformait en une brique de glace inutilisable. C'est ainsi d'ailleurs que mon réchaud s'autodétruisit à cause du froid au début de mon séjour. Et si une bonne âme du nom de Brian Sullivan ne m'avait pris en pitié et ne m'en avait prêté un, j'aurais été — comme le disait Dick Danger avec tant d'éloquence — dans une profonde mélasse.

Le matin du 21 mai, la tempête atteignit un nouveau palier dans la fureur. La veille au soir, pourtant, malgré les prévisions de forts vents et de chutes de neige pour encore cinq jours au moins, le ciel s'était éclairci et le vent était tombé. Le matin suivant, il faisait – 30 °C et quelques petits nuages ovales étaient réapparus au-dessus du Foraker, mais à part cela, tout était calme et dégagé. Je pris donc un petit sac à dos et acceptai l'invitation de me joindre à un groupe de cinq personnes que conduisait Tom Hargis — un ancien de l'Himalaya qui avait fait la seconde ascension du fameux Gasherbrum IV en 1986 — pour tenter d'aller au sommet dans la journée. Il s'agissait de franchir d'une seule traite plus de mille huit cents mètres en altitude. Pendant que je sortais du camp, Adrian jeta un regard vers le ciel, se racla bruyamment la gorge et me cria : « Bonne chance, mon vieux ! Tu vas en avoir bien besoin ! Je vais peut-être te retrouver là-haut plus tard, congelé comme un poisson ! »

Le temps d'atteindre le début de l'arête en lame de couteau, à 4938 mètres, soit deux heures de marche, la brise soufflait déjà à vingt nœuds et les nuages commençaient à masquer le soleil. Une heure plus tard, quand nous atteignîmes 5180 mètres, nous grimpions en plein blizzard avec une visibilité proche de zéro et un vent de quarante nœuds qui, en quelques secondes, gelait toute chair apparente. C'est alors que Hargis, qui marchait en tête, fit tranquillement demi-tour et redescendit. Personne ne l'interrogea sur cette décision. Après avoir survécu à l'Arête-Ouest de l'Everest et au Gasherbrum IV, il ne souhaitait sans doute pas casser sa pipe sur le Pilier-Ouest.

Avec le retour de la tempête, le 22 mai, les Jeunes Mariés finirent par jeter l'éponge. Cet après-midi-là, ils rentrèrent au campement en titubant, complètement vidés, mais porteurs d'une information stupéfiante : les étranges bonshommes de la grotte étaient allés au sommet.

Les unes après les autres, les équipes avaient progressivement abandonné le camp fortifié à 5240 mètres, mais Dick Danger et ses Membres avaient tenu bon. Une nouvelle exploration de leur abri avait mis au jour une provision de nourriture suffisante pour les alimenter : des flocons d'avoine, anciens mais mangeables, un peu de chocolat, une boîte de thon et une autre de harengs fumés. Lorsque leur réchaud avait commencé à mal fonctionner, ils avaient quémandé de l'eau à leurs compagnons de grotte de l'expédition 5150.

Les 5150 étaient une équipe de l'Alaska qui avait choisi son nom par référence à un article du code pénal (dans l'argot des policiers de l'Alaska, les 5150 désignent des «personnes souffrant de troubles mentaux») et qui tirait son inspiration de fréquentes inhalations d'une variété de *Cannabis sativa* cultivée dans le quarante-neuvième Etat. Ils se vantaient d'avoir, entre «l'aéroport international de Kahiltna» et le camp de 5 240 mètres, fumé une centaine de joints de cette herbe puissante. Cependant, même ce prodigieux fortifiant chimique ne put empêcher l'un des membres d'être atteint d'une grave hypothermie après une seule journée passée dans la grotte. Ses camarades tentèrent de le réchauffer en augmentant la dose. «C'était plutôt pathétique, raconte Mike Dagon. Ils ne cessaient de lui dire : “Ça t'a fait du bien jusqu'ici, ça peut continuer à te soutenir pendant le reste du trajet.” Mais comme le type ne s'était toujours pas réchauffé au bout de deux jours passés dans la grotte, ils décidèrent d'interrompre le traitement et d'abandonner.»

Le départ des 5150 et de leur réchaud aurait pu avoir des conséquences fâcheuses pour les Membres, mais à peine les 5150 les avaient-ils quittés que le Club des Fêlés arrivait. Il apparut que ceux-ci possédaient aussi un réchaud en état de marche et ne partageaient pas moins généreusement l'eau qu'ils produisaient en faisant fondre de la neige.

«Les réveils dans la grotte, admet Dagon, étaient vraiment déprimants. Vous ouvriez l'œil et vous trouviez en face de vous des types en train de ronfler. Il n'y avait rien à manger et tout ce qu'on avait comme perspective, c'était de passer une nouvelle journée à se regarder les uns les autres dans ce trou de glace. Mais on s'est arrangés pour se supporter le mieux possible. Pour tuer le temps, nous jouions à des jeux futiles, ou bien nous parlions de ce que nous allions manger quand nous serions redescendus et Este nous apprit des chansons de shows télévisés. »

Et puis brusquement, l'après-midi du 21 mai, la tornade se calma. Dick et les Membres souffraient de gelures, étaient gravement déshydratés, affaiblis par le manque de nourriture, hébétés à cause de l'altitude et malades d'avoir respiré le monoxyde de carbone de leur réchaud défectueux. Mais ils souscrivaient au précepte des écoles d'alpinisme : « Pas de bourrasque, pas de gloire », et ils se disaient que la montagne ne serait peut-être pas une nouvelle fois dégagée avant un mois. Aussi firent-ils de leur mieux pour ne pas tenir compte de leurs infirmités et — à l'exception de Greg Siewers, le seul d'entre eux qui eût une expérience de l'alpinisme — ils se préparèrent à partir pour le sommet. A vingt et une heures trente, en compagnie du Club des Fêlés, ils émergèrent de leur terrier de glace et entamèrent leur ascension.

Les Membres progressaient lentement, péniblement, dans l'air mordant de la nuit. Ils furent bientôt distancés par les trois Fêlés. A 5 639 mètres, juste après minuit, l'une des poignées autobloquantes de Dagon se brisa pendant qu'il s'en servait sur une petite ligne fixe, et quand il retira sa moufle pour tenter de réparer son instrument, la moufle fut emportée par le vent. Quelques minutes plus tard, Yates sentit un petit coup dans la corde et redescendit. « Mike m'a dit qu'il avait froid à la main, se souvient-il. Je l'ai regardée et j'ai vu qu'elle était nue, mais Mike ne semblait pas s'en être aperçu. Je ne savais pas depuis combien de temps il était resté comme ça, mais je voyais bien qu'il était en difficulté et que ça commençait à aller mal. Immédiatement, j'ai saisi la main et je l'ai enfouie dans sa veste.»

Quand Dagon eut réchauffé sa main, il prit une moufle de rechange et les Membres poursuivirent leur ascension jusqu'à cinq heures trente. Ils venaient d'atteindre la dernière base avant le sommet, à 5 790 mètres. Là, ils durent faire un nouvel arrêt, cette fois pendant toute une heure, afin de réchauffer les pieds et les mains de Dagon. «Este dit à Mike qu'il avait une forte hypothermie et que nous devrions redescendre, raconte Yates, mais Mike refusa, nous étions trop près du sommet. Il se concentra et trouva la force de franchir les trois cents derniers mètres.»

Tandis qu'ils escaladaient l'arête sommitale, ils apercevaient dans une vision surréaliste les gracieuses cimes du mont Huntington et de la Mooses Tooth qui pointaient au travers d'une épaisse couche de nuages couvrant le glacier Ruth, près de quatre mille mètres plus bas. «Je me rendais compte d'une façon abstraite, intellectuelle, que c'était un spectacle magnifique, poursuit Yates, mais je ne parvenais pas à m'y intéresser. J'avais marché toute la nuit, je me sentais vidé, trop fatigué tout simplement.»

Au matin du 22 mai 1987 à neuf heures vingt, les Membres se tenaient enfin sur le sommet du mont McKinley. D'après Mike Dagon : «Le point le plus élevé d'Amérique du Nord consiste en trois bosses insignifiantes sur une arête circulaire, l'une d'elles étant un peu plus élevée que les autres. C'est tout. C'était incroyablement décevant. Je suppose que je m'attendais à y trouver des feux d'artifice et de la musique ou quelque chose comme ça, mais il n'y avait rien. Aussitôt arrivés, nous avons fait demi-tour pour redescendre. »

Juste après leur départ, la couche de nuages qu'ils avaient d'abord aperçue sur le Ruth s'était élevée en quelques minutes jusqu'au sommet. L'accalmie avait duré seize heures ; elle était terminée. Pendant les six heures qui suivirent, ils durent trouver leur chemin vers le camp de 5 240 mètres sans aucune visibilité. Seule une piste jalonnée par des piquets de bambou que les Fêlés avaient plantés dans la neige à chaque longueur de corde leur permit de rejoindre la grotte. Quand ils y parvinrent, ils avaient effectué dix-huit heures de marche ininterrompue. Une fois à l'abri, les Membres furent immobilisés pendant deux jours supplémentaires par le mauvais temps, sans nourriture, mais le 24 mai ils réussirent enfin à se traîner jusqu'au campement, à 4 360 mètres, et là, Rob Roach et Howard Donner soignèrent leurs extrémités gelées pendant plusieurs heures sous la tente médicale.

En démontrant ce qu'on pouvait réaliser grâce à une détermination obstinée et une grande résistance à la douleur, le succès des Membres — l'une des rares expéditions à avoir atteint le sommet au mois de mai — aurait dû suggérer à tous ceux qui étaient demeurés au campement de faire un peu plus d'efforts pour s'élever jusqu'à la grandeur. Mais à ce moment-là, pour ma part, je n'avais presque plus de figues sèches et il m'était venu un fort désir de boire quelque chose de plus percutant que de la neige fondue. C'est pourquoi, le 26 mai, je pliai ma tente, fermai les fixations de mes skis et dis adieu à mes camarades de combat.

Tandis que j'enfilais mon sac à dos pour m'en aller,

Adrian regardait d'un air triste et songeur en direction du sud, vers Talkeetna. Il se mit à marmonner que le temps ne semblait pas devoir s'améliorer dans l'immédiat. Et, comme s'il pensait à haute voix, il ajouta : « Je ferais peut-être mieux de redescendre, comme toi. Je monterai sur le McKinley l'année prochaine. » Mais l'instant d'après, il tourna son regard vers la montagne et serra la mâchoire. Pendant que je commençais à descendre le glacier, il se tenait toujours au même endroit, fixant les pentes sommitales. Je suis sûr qu'il imaginait la gloire qui reviendrait au premier Roumain à avoir escaladé le mont McKinley.

7

CHAMONIX

Nous ne sommes qu'en septembre, et pourtant le vent qui souffle dans les rues étroites de Chamonix sent déjà l'hiver. Chaque nuit, le niveau inférieur de la neige, comme la bordure d'un jupon, descend un peu plus sur les vastes hanches du mont Blanc en direction des toits d'ardoise et des clochers des églises de la vallée. Voici trois semaines, les terrasses des cafés de l'avenue Michel-Croz étaient bondées de vacanciers buvant à petites gorgées des citrons pressés hors de prix et tendant le cou vers la fameuse montagne qui, à plus de 3 700 mètres au-dessus de leurs têtes, scintillait comme un mirage dans la brume d'août. A présent, presque tous les cafés sont vides, les hôtels désertés, et le brouhaha des bistrots a laissé place à un silence de bibliothèque.

C'est pour cette raison que, me promenant dans les rues de la ville un peu avant minuit, je suis surpris d'apercevoir une foule qui fait la queue devant le Choucas, un night-club près du centre. Par curiosité, je me place au bout de la file.

Vingt-cinq minutes plus tard, je pénètre enfin dans l'établissement. Elvis Costello hurle dans la sono au point de faire vibrer les verres, et l'extrémité du bar se perd dans la fumée bleue des gitanes. La clientèle est formée de jeunes gens dont l'aspect suffisant et égocentrique fait penser au vers de Shakespeare sur « le Français sûr de lui et aimant trop le plaisir ». Chose étonnante, personne ne danse et très peu d'hommes semblent chercher à faire des rencontres ; d'ailleurs, presque personne n'est engagé dans une conversation. J'en déduis assez rapidement que les clients du Choucas ne sont ici que pour le spectacle vidéo. Chaque visage, fasciné par le clignotement des rayons cathodiques, est rivé à la demi-douzaine d'écrans géants installés dans le club.

Ce qui hypnotise ainsi la foule, c'est un film sur une activité très populaire en France, le saut à l'élastique. Une grande fille blonde d'une beauté frappante, Isabelle Patissier, est sur un aérostat ; elle a attaché l'extrémité d'un câble en caoutchouc à ses chevilles, l'autre extrémité étant fixée à la nacelle du ballon. Depuis le rebord, Isabelle, qui est l'une des meilleures spécialistes de la varappe, exécute calmement un saut de l'ange dans le vide. Elle tombe de plus en plus vite, dans une descente inquiétante, mais le câble arrête sa chute et la fait rebondir de manière spectaculaire. Cependant Isabelle Patissier ne parvient pas à remonter dans la nacelle ; elle se balance dans la brise la tête en bas. Pour remédier à cette situation, l'aéronaute tente un atterrissage, mais, dans sa manœuvre, il emmêle le câble à une ligne à haute tension, provoquant presque l'électrocution d'Isabelle. Elle est toujours suspendue par les pieds au bout du câble qui est en train de prendre feu.

Finalement, Isabelle échappera de peu aux griffes de la mort, mais avant que l'assistance ait eu le temps de reprendre son souffle, un nouvel épisode, tout aussi captivant, occupe les écrans. Maintenant, il s'agit de Christophe Profit, grimpeur en solo qui a escaladé l'éperon Walker, l'Eigerwand et la face nord du Matterhorn, chaque fois en un seul jour d'hiver. Le spectacle continue ainsi jusqu'à la fermeture : aile volante, saut libre en parachute, surf sur grosses vagues, monoski à grande vitesse et cascades à moto. Le point commun de tous ces sports, c'est le danger de mort. Plus la situation est périlleuse, plus la foule est captivée. Et le film qui a le plus de succès est une compilation de quarante-cinq minutes montrant les accidents survenus lors des grands prix automobiles. Un macabre assortiment de pilotes et de spectateurs écrasés, démembrés et brûlés vifs. Le plaisir du spectacle est rendu plus intense par les gros plans et les reprises au ralenti.

Au cours de la soirée, le projecteur vidéo se met à cafouiller et l'écran devient blanc. Je me retrouve en train de bavarder avec un jeune Français d'Annecy. Patrick est habillé d'un short de plage à fleurs, d'un sweat-shirt trop long à l'effigie de Batman, et — bien que le soleil se soit couché six heures auparavant et que nous soyons dans un lieu où la lumière est tamisée — il a sur le nez une paire de lunettes de glacier à monture rose. Avec une modestie typiquement gauloise, il déclare qu'il est à la fois un expert en parapente et un « superbe » varappeur. Je réponds que je grimpe moi aussi et que j'ai été tout à fait satisfait de la qualité des courses que j'ai effectuées jusqu'ici autour de Chamonix. Saisissant l'occasion de me tambouriner la poitrine à ma façon, je poursuis en confiant à Patrick que j'ai particulièrement aimé ma course de la veille — une classique considérée comme *extrêmement difficile*[1] par le

1. En français dans le texte. (*N.d.T.*)

Guide Vallot —, l'aiguille mince et incroyablement raide appelée le Grand Capucin.

« Le Capucin ? répond Patrick, visiblement impressionné. Ça a dû être dur de monter avec le parapente jusqu'au sommet, non ?

— Non, non, ce n'est pas cela, dis-je rapidement. J'ai simplement escaladé la montagne.

— Non ? fit Patrick, un moment interloqué. Eh bien, faire le Capucin en solo, c'est de toute façon très valable.

— En fait, expliquai-je, je ne l'ai pas fait en solo non plus, mais avec un partenaire et une corde...

— Vous n'y êtes pas allé en solo et vous n'avez pas volé ? dit le Français, incrédule. Ne trouvez-vous pas que c'était un peu... comment dire... banal ? »

J'appris plus tard que, en tombant sur le Choucas, j'avais découvert par inadvertance le bistrot le plus branché de Chamonix. Ce qui n'est pas rien, car Chamonix, bien que moins de onze mille habitants y résident toute l'année, est depuis deux siècles la station la plus à la mode d'Europe, peut-être même du monde entier. Et ce ne sont pas seulement les habitants qui le pensent. Il faut bien comprendre que Chamonix est beaucoup plus que l'Aspen des Alpes ; c'est le lieu de naissance du *haut chic*[1]. Ce n'est pas par hasard que, quand Yvon Chouinard a voulu ouvrir de la façon la plus visible possible une boutique de ce côté-ci de l'Atlantique, il a créé le premier magasin Patagonia d'Europe dans le centre de Chamonix.

A dire vrai, Chamonix est trop urbanisée et ce n'est pas une ville particulièrement jolie selon les critères

1. En français dans le texte. *(N.d.T.)*

architecturaux européens. Il y a trop de pièges à touristes, trop de monumentales horreurs en béton, bien trop de voitures et aucun emplacement pour les garer. Malgré cela, le Vieux Monde est suffisamment présent — avec ses rues pavées tortueuses et ses vieux chalets aux murs épais — pour que, en comparaison, les stations américaines les plus attirantes aient l'air de parcs d'attraction sur un thème pseudo-bavarois. Tassée dans la vallée de l'Arve, qui est étroite à rendre claustrophobe, située à treize kilomètres de la frontière commune entre la France, la Suisse et l'Italie, l'agglomération est fortement bordée au nord par les Aiguilles-Rouges et encore plus fortement au sud par la masse du Mont-Blanc. La plus haute montagne d'Europe s'élève si près de la ville que certains parapentistes partis de son sommet atterrissent dans le centre-ville.

Le succès des projections vidéo du Choucas n'a rien d'étonnant. Après tout, ce sont les loisirs à haut risque et le profit commercial qu'on en tire qui font vivre la cité. Comme le dit avec une grande sympathie et presque sans rire l'alpiniste Marc Twight — qui vit ici de façon intermittente depuis cinq ans —, Chamonix n'est rien de moins que la capitale mondiale des sports de mort. Il fait allusion à l'énorme panneau qui, accueillant les visiteurs venus d'Italie par l'autoroute, leur annonce qu'ils entrent dans la *« capitale mondiale du ski et de l'alpinisme* [1] *»*. Eh oui ! Le panneau n'exagère pas, car Chamonix et les Chamoniards sont à la pointe de l'alpinisme international, peut-être plus encore aujourd'hui qu'auparavant. Mais ces dix dernières années, dans un climat d'engouement passionné pour les émotions fortes, la formule de Twight paraît de plus

1. En français dans le texte. *(N.d.T.)*

en plus justifiée. Les pantalons au pli impeccable et les chandails classiques des guides d'autrefois ont été remplacés par le Lycra aux couleurs criardes et le Gore-Tex, et l'alpinisme traditionnel s'est transformé en une multitude de sports alpins qui surprendraient beaucoup le Dr Paccard.

Le Dr Michel Gabriel Paccard, en effet, est celui qui a inventé l'alpinisme, le 8 août 1786, en faisant la première ascension du mont Blanc en compagnie du chasseur de chamois Jacques Balmat. A son retour, Balmat raconta : « Mes yeux étaient rouges, mon visage noir et mes lèvres bleues. Chaque fois que je riais ou que je bâillais, le sang jaillissait de mes lèvres et de mes joues et, de plus, j'étais à moitié aveugle. »

En récompense de leur inestimable contribution au futur fondement économique de la ville, les deux premiers alpinistes reçurent un prix qui s'élevait à l'équivalent de trois cents francs, la place principale fut baptisée place Balmat et l'artère centrale rue du Docteur-Paccard, dans laquelle, deux siècles plus tard, on peut trouver non seulement le Choucas et le nouveau magasin Patagonia, mais aussi des commerces offrant toutes sortes d'articles depuis les parapentes jusqu'à la lingerie parisienne, en passant par les cartes postales représentant Jean-Marc Boivin et Catherine Destivelle, ainsi que des piolets à manche de graphite, des pitons en titane et des snow-boards dernier modèle décorés d'une vue de Manhattan.

Dans les années qui ont suivi l'ascension Paccard-Balmat, alors que le récit de cet exploit et des courses suivantes faisait le tour de l'Europe, Chamonix devint une destination très à la mode pour la haute société et accéda rapidement au rang de première station de montagne au monde. (Auparavant, comme l'a fait remarquer Jeremy Bernstein, du *New Yorker,* on considérait les montagnes comme « des lieux terrifiants, horribles, faisant obstacle aux voyages et au commerce, peuplés d'habitants infra-humains ». Goethe, Byron, Ruskin, Percy Shelley, le prince de Galles et l'ex-impératrice Joséphine y séjournèrent. En 1876, sept cent quatre-vingt-quinze hommes et femmes avaient atteint le sommet du Mont-Blanc. Parmi eux se trouvait un Anglais répondant au nom d'Albert Smith qui, parvenu au sommet, sombra dans un coma éthylique après que lui-même et ses compagnons eurent absorbé dans le cours de leur ascension quatre-vingt-seize bouteilles de vin, de champagne et de cognac.

Comme l'affluence commençait à ôter de son charme au mont Blanc (par les voies les plus faciles, la pente n'est pas très raide et n'exige guère de compétences techniques), des alpinistes ambitieux se tournèrent vers les centaines de pics aux parois abruptes — les fameuses Aiguilles de Chamonix — qui pointent sur les lignes de crête du massif comme des vertèbres de stégosaure. En 1881, quand Albert Mummery, Alexander Burgener et Benedict Venetz vainquirent l'effrayante aiguille du Grépon, cette ascension fut considérée comme un exploit surhumain. Néanmoins, dans un moment de prescience, Mummery prédit que le Grépon perdrait un jour sa réputation d'« ascension la plus difficile des Alpes » et en viendrait à être considéré comme une « promenade pour dames ».

Une centaine d'années après l'époque bénie de Mummery, de nouvelles techniques, un meilleur équipement et l'explosion démographique des grimpeurs ont produit à peu de chose près l'espèce de dévaluation qu'il craignait. Et cela ne concerne pas seulement le Grépon mais aussi la plupart des « derniers grands problèmes » qui prirent sa suite : l'éperon Walker, le Freney, la face nord des Droites, le couloir du Dru, pour n'en citer que quelques-uns.

Bien que le mont Blanc ait des proportions vraiment himalayennes, possédant de la base au sommet une pente qui s'élève de façon ininterrompue sur un dénivelé de près de quatre mille mètres, il est aussi largement installé dans le giron surpeuplé de l'Europe ; et c'est bien là la clé du problème. Cette juxtaposition improbable d'une topographie exceptionnelle et d'une culture raffinée a, pour le meilleur et pour le pire, engendré le Chamonix moderne.

Par une belle journée d'été, les rues seront semblables à ce qu'on peut voir dans n'importe quelle ville touristique de France : des touristes de Cincinnati ou de Milan, des petits vieillards coiffés d'un béret, des vendeuses aux jolies jambes en collants et minijupes. Mais ce qu'il y a de différent à Cham — comme on appelle la ville dans le patois local —, c'est que la moitié des passants que vous croisez dans la rue seront en chaussures de montagne et porteront à l'épaule une corde d'escalade. Et si vous regardez autour de vous assez longtemps, tôt ou tard vous verrez passer Boivin ou Profit ou Marc Batard — tous *héros de la République*[1], dont les hauts faits sont régulièrement rapportés dans des magazines à grande diffusion comme *Paris-Match.* L'année précédente, Boivin était devenu le premier homme à s'envoler en parapente depuis le sommet de l'Everest, son rival Marc Batard était devenu le premier alpiniste à avoir escaladé cette même montagne en moins d'une journée et Profit avait fait seul pendant l'hiver l'ascension de la longue,

1. En français dans le texte. *(N.d.T.)*

sauvage et aiguë arête de Peuterey en dix-neuf heures sans interruption — performance que beaucoup de Français considèrent comme la plus impressionnante de toutes.

Lorsque Profit ou, disons, le champion du monde de monoski Eric Saerens sont remarqués dans un restaurant de la ville, cela crée une effervescence identique à celle que provoquerait Magic Johnson aux Etats-Unis. Les Français, cela va sans dire, ont trop d'urbanité pour se prosterner en public devant leur idole comme nous le faisons. Mais il existe des exceptions. Quand la superstar de la varappe Patrick Edlinger vient en ville, cela donne ceci, selon Twight : « Tout le monde s'extasie devant lui sans vergogne. Il y a deux hivers de cela, je suis allé au Choucas à un moment où Edlinger s'y trouvait. C'était comme si une cour s'était formée autour de lui. Les gens se battaient presque pour s'approcher de sa table et lui rendre hommage ».

Cela ne signifie pas que tous les alpinistes de Cham soient des stars. Chaque année, environ six mille personnes font l'ascension du mont Blanc, des dizaines de milliers envahissent les aiguilles qui l'entourent et un million d'amateurs d'émotions fortes d'une espèce ou d'une autre traversent Chamonix. Le massif est cerné par des hôtels, saupoudré de chalets à plusieurs étages, quadrillé par cinquante-sept remonte-pentes et funiculaires et percé par un tunnel de plus de onze kilomètres où passe une grande autoroute européenne. Au plus fort de la saison de l'escalade, la vallée Blanche — le plateau glaciaire qui alimente la Mer de Glace — est envahie par tant d'alpinistes qu'elle prend un air de fourmilière. Le nombre de voies nouvelles enregistrées dans la documentation de l'Office de haute montagne donne le tournis. On se demande si, sur toute la chaîne, il reste un mètre carré de roche ou de glace qui n'ait pas été piétiné par quelqu'un.

On pourrait conclure que la dernière once d'intérêt et de nouveauté a depuis longtemps disparu des montagnes qui dominent Chamonix. Mais on aurait tort. Les Français — peuple fier et inventif, doué pour la mise en scène — n'ont pas eu de peine à trouver de nouvelles formes de loisirs alpins. En plus des variantes habituelles — l'escalade de vitesse, l'escalade extrême en solo, le ski extrême —, ils ont adopté avec ferveur des activités comme le saut à l'élastique, le surf extrême, *le ski sur herbe*[1] (au moyen de skis à roues permettant de dévaler les pentes herbeuses pendant l'été), *la ballule*[2] (qui consiste à descendre une pente à toute vitesse à l'intérieur d'un gros ballon gonflable) et — la plus populaire de toutes ces activités — l'envol depuis les sommets au moyen d'un parapente.

C'est un lumineux après-midi d'automne dans le centre-ville. Je suis assis à la terrasse de la brasserie de l'M, prenant tranquillement une crêpe à la confiture de fraise et un café au lait tout en me demandant si, en raison de mes talents limités, je ne suis pas condamné à ne jamais m'élever au-dessus d'une vie banale. Au-dessus de moi, des parapentistes flottent dans le ciel. Partis des sommets environnants, ils vont se poser sur une pelouse qui sert de terrain d'atterrissage, non loin de la brasserie. Quand vient le moment où je me lasse d'entendre le garçon me demander à chaque instant si je veux autre chose («Ou bien Monsieur va partir bientôt?»), je me lève et me dirige vers la pelouse, qui est

1. En français dans le texte. *(N.d.T.)*
2. Idem.

située au pied du téléphérique du Brévent, pour voir de près l'arrivée des parapentes.

Dans tous les Etats-Unis, on compte au plus quatre cents parapentistes. Ce qui reflète bien la réputation de ce sport, considéré comme absurdement dangereux. Faisant preuve d'un louable souci de vérité dans sa publicité, le principal fabricant américain de parapentes a intégré dans son logo un crâne et des tibias. Cependant, ni le risque d'accident mortel ni la crainte de poursuites judiciaires n'a pu ralentir le développement du parapente dans les Alpes. Au dernier recensement, on estimait qu'il y avait en France douze mille parapentistes. Et il ne faut pas croire que cet engouement vient de ce que les Français possèdent un truc pour éviter les accidents. Les parapentistes ne cessent de tomber sur des toits ou sur des autoroutes très fréquentées, ils sont entraînés par le vent dans les filins des remonte-pentes, et s'écrasent comme des mouches. D'ailleurs, dans la première demi-heure que j'ai passée au bord du terrain d'atterrissage de Chamonix, j'ai vu deux parapentistes rater la minuscule pelouse et tomber dans les arbres, et un troisième s'écraser en plein sur le deuxième étage d'un immeuble.

Mais le nombre croissant d'accidents de parapente n'incitera probablement pas les Français à interdire ce sport dans les stations de ski, comme l'ont fait les Américains. Pas plus que le carnage annuel ne conduira à une restriction des activités d'escalade. En année moyenne, l'aventure alpine se termine mal pour quarante à soixante personnes, et le nombre total des morts dans le massif du Mont-Blanc s'élève maintenant à plus de deux mille, ce qui en fait, de loin, la montagne la plus dangereuse du monde.

Il est intéressant de noter que le ski — que les

Américains ne considèrent généralement pas comme mettant la vie en péril — contribue à peu près pour moitié aux décès annuels. Il existe huit domaines skiables dans la vallée de Chamonix. Leurs pistes ne sont pas plus difficiles que celles des stations américaines de Stowe ou Park City, mais ils comprennent aussi de larges étendues où la limite entre le ski et la haute montagne n'est pas clairement indiquée. Par exemple, en haut des remontées mécaniques des Grands Montets ou de l'Aiguille du Midi — qui sont utilisées par de nombreux skieurs —, on peut facilement, en ne prenant pas le bon tournant, tomber dans une crevasse ou être écrasé par la chute d'un sérac, ou encore tomber d'une falaise de trois cents mètres. Aux Etats-Unis, chacun considère comme établi que les dangers naturels soient interdits d'accès par une barrière, signalés par une pancarte ou en tout cas rendus inoffensifs d'une manière ou d'une autre. A Chamonix, c'est le skieur qui est responsable de sa propre sécurité et non les organisateurs du domaine skiable. Aussi les écervelés ne font-ils pas long feu.

Les Français se font des sports à risque et du sport en général une conception radicalement différente de celle des Américains. Nous, nous aimons les sports d'équipe comme le base-ball ou le football, et les héros du stade que nous offrons en exemple à nos enfants sont généralement des modèles exempts de tout défaut. Les Français, avec leur tempérament individualiste bien connu, ont une préférence pour l'exploit sensationnel, pour le panache ou pour la performance héroïque et solitaire. Leurs champions peuvent fumer gitane sur gitane ou conduire leur voiture de façon irresponsable. Ils excellent dans des activités comme les traversées au long cours sur une planche de surf ou l'escalade en solo de rochers très difficiles.

Les Chamoniards ne sont pas particulièrement satisfaits du bain de sang qui se produit chez eux, mais ils sont partisans de ne pas y penser. Un vigoureux gendarme d'une trentaine d'années, Luc Bellon, m'en donne l'explication : «Ici, il y a un état d'esprit particulier. Vous pouvez très bien n'être ni guide ni grimpeur, vous pouvez être boucher ou tenir une boutique de souvenirs, cela ne change rien; c'est la montagne qui vous fait vivre. Tout comme les pêcheurs avec la mer, nous avons appris ici à accepter le danger et les tragédies comme des phénomènes naturels.»

Ce n'est pas parce que Luc Bellon travaille comme gendarme qu'il faut en conclure qu'il passe ses journées à arrêter des pickpockets ou à régler la circulation, coiffé de son couvre-chef. Au contraire. Bellon appartient à un corps d'élite appelé le Peloton de Gendarmerie de Haute Montagne, ou PGHM, pour le dire en bref. Son travail consiste à tirer d'affaire les aventuriers malchanceux qui ont trouvé des sensations plus fortes qu'ils n'espéraient. Le vrombissement de l'hélicoptère bleu du PGHM, s'envolant rapidement vers les Aiguilles pour arracher un corps brisé à la montagne, est aussi habituel à Chamonix que le hurlement des sirènes de police dans le Bronx. En juillet et août, quand les glaciers et les Aiguilles sont envahis d'alpinistes imprudents venus du monde entier, Bellon et ses camarades sortent couramment de dix à quinze fois par jour pour effectuer un sauvetage ou ramener un corps.

Par une ironie du sort, la compétence et la vigilance du PGHM contribuent peut-être à augmenter le nombre ahurissant des accidents de montagne à Chamonix. Les émules de Boivin prennent plus de risques qu'ils ne le feraient si Bellon et d'autres ne veillaient vingt-quatre heures sur vingt-quatre pour les sortir de leur mauvais pas. D'après John Bouchard (un alpiniste américain accompli qui vient à Chamonix depuis 1973 et qui, avec sa femme française, possède une société d'instruments d'escalade et fabrique les parapentes ornés du crâne et des tibias) : « Aujourd'hui, au lieu de se munir d'équipements de secours, les types s'engagent dans des ascensions difficiles en n'emportant qu'une radio. Si les choses tournent mal, pensent-ils, il leur suffira d'appeler à l'aide. »

Je dois avouer que j'ai moi-même envisagé cette éventualité lors de ma visite automnale. C'était mon deuxième jour à Chamonix. J'étais parti seul faire l'ascension d'un goulet de glace très raide, mais souvent escaladé, sur une montagne de 4 248 mètres appelée Mont-Blanc du Tacul. Dans la partie inférieure du goulet, j'avais à plusieurs reprises frappé le roc avec mes piolets à travers la mince couche de glace qui le recouvrait, ce qui les avait émoussés. Parvenu à mi-chemin de la course, me sentant à la fois pas encore acclimaté et en mauvaise forme, je commençais à éprouver des difficultés à enfoncer suffisamment les lames dans la glace. Mais comme je n'avais pas emporté de corde pour redescendre en rappel, je n'avais qu'une seule solution : continuer à cramponner jusqu'en haut et redescendre par l'autre versant, à la pente plus facile. C'est à ce moment que passa l'hélicoptère du PGHM qui effectuait un vol de routine. Les gendarmes m'observaient en cherchant à déterminer si j'étais ou non un nouvel ahuri en situation délicate. Immédiatement, je décidai de leur faire signe de venir me secourir. La veille, j'avais souscrit une assurance-secours, si bien que cette opération impromptue ne me coûterait rien.

Le problème, c'est que je ne savais pas quelle histoire j'allais raconter au PGHM pour justifier ma demande d'aide quand le gendarme dans son beau chandail bleu descendrait au bout du câble pour me dégager de la glace. J'hésitai un instant puis, submergé par un sentiment de culpabilité, je levai un bras en signe que tout allait bien. L'hélicoptère, comme un gros papillon, descendit dans la vallée, me laissant seul avec mes instruments défectueux.

Parmi les milliers d'accidents atroces et de sauvetages émouvants que Chamonix a connus au fil des années, quelques-uns sortent de l'ordinaire. La plus célèbre de toutes les opérations de sauvetage fut réalisée au cours de l'été 1966 sur la face ouest du Petit Dru, une flèche d'un aspect singulier qui jaillit de la Mer de Glace jusqu'à une hauteur de 1 800 mètres. Deux Allemands sans expérience avaient entamé l'ascension de ce mur le 14 août et, après quatre jours d'escalade, ils se trouvèrent bloqués sur une corniche large de quatre-vingt-dix centimètres aux deux tiers de l'itinéraire. Il leur était impossible de franchir un surplomb couvert de glace qui semble défendre l'arête sommitale. Blottis sur leur étroit refuge, les Allemands lancèrent un S.O.S. et attendirent les secours. Au même moment, le mauvais temps arrivait.

Un grand dispositif de sauvetage fut mis en œuvre. Plus de cinquante chasseurs alpins et guides de Chamonix escaladèrent le Dru par les faces nord et est, moins difficiles, et tentèrent de faire descendre un filin en acier depuis le sommet. Malheureusement, malgré plusieurs tentatives, le surplomb qui se trouvait juste au-dessus des Allemands fit échouer ce plan et, trois jours après avoir lancé leur signal de détresse, ils étaient toujours impossibles à atteindre. Pendant ce temps, des reporters et des équipes de télévision avaient envahi Chamonix. Ce sauvetage faisait la une des principaux journaux d'Europe.

Gary Hemming était assis dans un café sur le versant italien du massif du Mont-Blanc lorsqu'il apprit en lisant un journal la situation désespérée des deux alpinistes. On était le 18 août. Il pensa aussitôt qu'il était celui qui allait les sauver. Hemming était un grand Californien rêveur, avec des cheveux blonds en désordre, qui menait une vie de bohème. Cela faisait cinq ans qu'il vivait en France, principalement à Chamonix mais aussi à Paris de temps à autre. Il dormait sous les ponts de la Seine. Trois ans plus tard, pour des raisons qui ne sont toujours pas éclaircies, Hemming devait se saouler sur un terrain de camping des Tetons et se tirer une balle dans la tête. Mais, en 1966, ce grimpeur de trente-trois ans était au sommet de ses capacités.

Il était allé de nombreuses fois sur la face ouest du Dru. En 1962, accompagné de Royal Robbins, il avait inauguré une nouvelle voie qui, à l'époque, fut considérée comme l'une des ascensions les plus difficiles au monde. Et aujourd'hui encore, on estime que c'est l'un des grands itinéraires des Alpes. Hemming connaissait donc parfaitement cette montagne. Quand il fut informé de la situation périlleuse dans laquelle se trouvaient les deux Allemands, il conclut rapidement que la meilleure façon de les sauver consistait à escalader la face ouest. Cette solution avait été écartée par les militaires aussi bien que par les guides de Chamonix. Ils pensaient que le mauvais temps et l'état de cette paroi couverte de glace rendaient l'ascension impossible. Hemming retourna à Chamonix à toute vitesse et il s'engagea sur la face ouest le 19 août à la tête d'un groupe hétéroclite composé de huit grimpeurs hors normes.

L'ascension fut incroyablement difficile mais, trois jours plus tard, le groupe atteignit la corniche et trouva les Allemands vivants et même dans une forme étonnamment bonne. Circonstance surprenante, cinq minutes plus tard, l'un des guides qui étaient passés par la face nord arriva après avoir réalisé une traversée circulaire. Il fit savoir qu'avec les autres guides il allait évacuer les deux alpinistes. On raconte que Hemming répondit avec humeur : « Non. Nous sommes arrivés ici les premiers. Les Allemands sont à nous. »

Le lendemain, l'équipe de Hemming réussit sa descente, ramenant les deux rescapés sains et saufs. Au pied du Dru, les médias les attendaient, caméra et magnétophone en action. Quand le visage contemplatif de Hemming et son émouvant récit furent reproduits dans les journaux et sur les écrans de télévision de toute l'Europe, il devint la coqueluche du continent. Les Français tout particulièrement s'entichèrent du Beatnik, ce bon sauvage venu d'Amérique avec son bel aspect robuste et sa réserve à la Gary Cooper. Hemming devint instantanément un héros. Du jour au lendemain, le grimpeur sans le sou et marginal fut métamorphosé en un superbe dieu blond et installé dans la pérennité d'un mythe.

« Pas facile de vivre dans un univers étranger », écrit James Salter dans *Solo Faces*[1], sombre et puissant roman qui se déroule à Chamonix et s'inspire de la vie

1. Traduction française : *L'Homme des hautes solitudes*, Denoël, 1981. (*N.d.T.*)

de Gary Hemming. Les Chamoniards constituent une communauté très fermée. Ils répugnent à accepter ceux qui viennent d'ailleurs. Beaucoup de noms que l'on voit sur les boutiques de la rue du Docteur-Paccard ou sur le registre du Bureau des guides — des noms comme Balmat, Payot, Simond, Charlet, Tournier, Devouassoud — appartiennent au pays depuis l'époque où Goethe et l'impératrice Joséphine visitaient la ville. En fait, aucun « étranger » — que les Chamoniards définissent comme toute personne née hors du territoire de la commune — n'est accepté dans les rangs de la Compagnie des guides de Chamonix-Mont-Blanc sans une dispense spéciale, rarement accordée.

En réponse à cette situation, des guides non chamoniards ont constitué une association concurrente, les Guides indépendants du Mont-Blanc. Mais aux yeux de presque tous les Chamoniards, ces francs-tireurs sont à la Compagnie des guides ce qu'un pichet de gros rouge est à une bouteille de château-lafite.

Ce n'est qu'après son exploit sur le Dru que Hemming parvint à s'intégrer à la société chamoniarde (les Français ont toujours eu un respect profond et durable pour la célébrité). John Bouchard finit lui aussi par se faire accepter des Chamoniards, mais pas avant d'avoir réalisé une série d'ascensions brillantes et téméraires — dont deux sur des itinéraires nouveaux et plusieurs effectuées en solitaire. Sa célébrité atteignit un point culminant lors de son mariage avec Titoune Meunier, elle-même extraordinaire alpiniste, qui appartient au clan local des Simond. Selon Marc Twight, qui est l'ami et le protégé de Bouchard : « John arriva à Cham, effectua ces prestigieuses premières au nez et à la barbe des meilleurs grimpeurs des Alpes puis il s'empara du cœur de la fille la plus désirable de la ville. » C'est le genre de tour de force, réalisé avec un art consommé, que les Français trouvent irrésistible. A partir de ce moment-là, les Chamoniards ont considéré Bouchard comme l'un des leurs, qui, par quelque accident inexplicable, était né en Amérique.

Cependant, en dehors des cas de Hemming et de Bouchard, très peu d'Américains — ou d'ailleurs d'étrangers en général — ont été admis au sein du club. Marc Twight, par exemple, est un cas d'espèce. Alpiniste passionné et très doué, âgé de vingt-huit ans, il a pendant cinq ans mis à son actif une impressionnante succession de tristement célèbres « routes de la mort » et, au mois de mars 1987, le magazine *Montagnes* lui a consacré un reportage de dix pages. Mais il ne se sent toujours pas accepté. « Quand je suis arrivé ici, en 1984, on semblait ignorer ma présence. Maintenant que j'ai à mon actif quelques bonnes ascensions, les grimpeurs et les parapentistes locaux m'acceptent, mais à la périphérie. Ils me parlent, partagent avec moi des informations sur les itinéraires. Mais cela s'arrête là. On ne m'invite toujours pas à dîner et je ne serai jamais admis dans le cercle des intimes. Je ne sais pas pourquoi ; c'est ainsi, tout simplement. »

Les grimpeurs et les skieurs — Basques, Britanniques, Tchèques, Polonais, Allemands, Suédois, Italiens, Américains, Coréens, Canadiens, Autrichiens, Norvégiens, Néo-Zélandais, Indiens et Japonais — qui convergent chaque année en légions entières vers Chamonix se soucient beaucoup moins d'être acceptés au sein de la société locale. Ils veulent seulement qu'on les laisse tranquilles, désirent tenter leur chance sur les sommets comme le cœur leur en dit et, entre deux exploits héroïques, souhaitent être installés à moindres frais, aussi confortablement que possible, dans la vallée.

Comme on peut le deviner, une telle variété de nationalités produit une diversité équivalente de stratégies pour parvenir au but recherché. Par exemple, les Tchèques et les Polonais, plutôt démunis en devises et habitués à vivre à la dure, délaissent les hôtels et les pensions au profit des champs proches de la ville. Pour une somme très modique, ils obtiennent le privilège de faire leurs besoins dans les bois et de planter leur tente usée dans la boue et les bouses de vaches.

De la même façon, on trouvera peu de Suédois dans les hôtels de Chamonix, mais pour une raison différente. En Suède, paraît-il, l'alcool est très fortement taxé. Lorsque les Suédois viennent en France, où il est à moitié prix, ils ont tendance à en abuser et, comme le dit Marc Twight : « Ils laissent libre cours à leurs mauvais penchants. Ils se battent, salissent les chambres et ne respectent rien. En conséquence, quand un hôtelier de Chamonix aperçoit un passeport suédois, il dit généralement : "Je suis navré, mais je viens juste de me souvenir que toutes les chambres sont déjà prises." » Les choses se sont dégradées au point que des hommes d'affaires suédois ont récemment acheté quelques hôtels dans le village d'Argentière, à quelques kilomètres en remontant la vallée, afin de permettre à leurs compatriotes de disposer d'un lieu pour dormir. Aujourd'hui, pendant la saison de ski, Argentière se transforme en une véritable colonie suédoise.

Plus épineuses encore que les relations franco-suédoises, les relations entre Français et Anglais reposent sur une inimitié réciproque qui fermente depuis tant de siècles qu'elle fait désormais partie des gènes de l'une et l'autre nation. Néanmoins, les Anglais se sont fait un ou deux alliés parmi les Chamoniards. Le clan local des Snell permet depuis trente ans aux Anglais, par acceptation tacite, de camper dans un champ que la famille possède à la périphérie de la ville. En échange, les Anglais s'abstiennent de voler dans les deux magasins d'alpinisme qui appartiennent aux Snell, rue du Docteur-Paccard. Mais cela n'empêche pas une profonde mésentente de régner entre de nombreux alpinistes des deux pays. A certaines occasions, la tension monte au point d'engendrer des bagarres mémorables qui ont dévasté moult bistrots et conduit des grimpeurs anglais réputés derrière les barreaux.

Finalement, ce sont les Français qui semblent depuis quelque temps avoir lieu de rire les derniers. Aujourd'hui, les natifs de Chamonix sont non seulement les skieurs, grimpeurs et parapentistes les mieux vêtus sur les pentes enneigées, mais pour la première fois depuis l'ascension de Paccard-Balmat aucun Anglais vivant (ni personne d'autre) ne peut égaler leur stupéfiante aisance et leurs prouesses tant sur glace que sur roche. Les très grandes vedettes, comme Profit, Boivin et Gabarrou, peuvent bien avoir un faible pour les écharpes roses et les vêtements de montagne bien assortis, personne ne s'avisera de leur manquer de respect.

Il faut une demi-heure pour franchir en *téléphérique*[1] les quelque deux mille huit cents mètres de dénivelé qui séparent Chamonix des Aiguilles du Midi. Nous étions une soixantaine de passagers entassés dans la cabine rouillée : des Français en tenue orange et vert fluo portant des sacs à dos de mêmes couleurs, des

1. En français dans le texte. (*N.d.T.*)

grimpeurs de plusieurs cordées appartenant à un club alpin italien qui chantaient et riaient avec entrain, quelques touristes japonais silencieux portant des costumes de ville des plus incongrus à cet endroit. Arrivé au sommet de l'Aiguille — une étourdissante flèche de granit marron creusée de tunnels et hérissée de bizarres structures métalliques —, je pris rapidement un *croque-monsieur*[1] au restaurant, embarquai dans un autre engin pour descendre, au-dessus de l'étendue crevassée de la vallée Blanche, vers la frontière italienne. De là, une courte descente à pied me conduisit à mon objectif du jour, la face nord d'une montagne appelée la tour Ronde.

Si elle s'était trouvée en Alaska, où j'ai effectué une grande partie de mes ascensions, il m'aurait fallu peiner pendant trois ou quatre jours sous un sac à dos de quarante kilos pour parvenir au pied de la Tour en partant de la vallée de Chamonix. Mais comme elle est en France, le trajet d'approche m'a pris moins de deux heures (pause petit déjeuner comprise), mon sac ne contient guère plus qu'un repas et un pull supplémentaire, et jusqu'ici je n'ai pas fait grand effort.

Cependant, si cette montagne s'était trouvée en Alaska, je l'aurais probablement eue pour moi tout seul. Ici, tout en fixant mes crampons au pied de la tour Ronde, je compte sept grimpeurs au-dessus de moi.

D'après l'itinéraire, il faut escalader tout droit une dalle de glace en forme de sablier, haute de trois cent soixante mètres. Selon les critères de Chamonix, cette course est facile, mais je m'inquiète néanmoins à cause de tous ces gens qui se trouvent au-dessus de moi. En 1983, deux grimpeurs ont perdu l'équilibre un peu

1. En français dans le texte. (*N.d.T.*)

avant le sommet et, en dévissant encore encordés, ils ont provoqué la chute de dix-huit autres personnes qui montaient derrière eux, entraînant dans la mort six alpinistes.

Ceux qui montent au-dessus de moi ne me causent aucun problème jusqu'à mi-parcours, mais là, dans la partie étroite du sablier, deux piliers rocheux, à droite et à gauche, canalisent la glace que font tomber mes prédécesseurs dans un étroit goulet qu'il faut escalader sur soixante mètres. Heureusement, ces débris sont presque tous de petite dimension et ricochent sur mon casque sans causer de dommage. Sur une ascension comme celle-ci, il faut s'attendre à des chutes de glace. Les grimpeurs ne peuvent éviter d'en faire sauter des particules en maniant leurs piolets, mais pour une raison incompréhensible l'un de ceux qui me précèdent se met à faire tomber également des morceaux de granit dont certains pèsent quatre ou cinq kilos. « Hé, m'écrié-je, vous ne voyez pas qu'il y a quelqu'un en dessous ? » Mais mon appel semble avoir pour seul effet de les encourager à en faire tomber encore plus. A l'instant où je m'apprête à crier à nouveau, une pierre m'atteint au menton. Je baisse vivement la tête et me mets à cramponner encore plus vite.

En dix minutes, je quitte le goulet et accède à la partie supérieure où il est possible d'éviter le bombardement. Quarante-cinq minutes plus tard, parvenu sur la cime, je retrouve les deux Français qui ont fait rouler les pierres. Ils sont allongés auprès de la statue en bronze de la Vierge Marie qui marque le sommet. Je m'approche et leur dis poliment : « Dites donc, trous du cul, en redescendant je vais moi aussi vous envoyer quelques pierres pour que vous sachiez l'impression que ça fait ! »

Les deux grimpeurs, qui ont à peine plus de vingt ans, paraissent suprêmement indifférents. L'un d'eux hausse les épaules et me répond : « Les chutes de pierres sont l'un des nombreux dangers naturels que les alpinistes doivent affronter dans les Alpes. Si ça ne vous plaît pas de grimper ici, vous pourriez peut-être retourner en Amérique, où les montagnes ne sont pas aussi hautes. »

Peu après, les Français s'en vont, me laissant seul sur le sommet. Je commence à me calmer. La roche est tiède, le ciel de septembre est pur et d'un calme absolu. Autour de moi, si proches que j'ai l'impression de pouvoir les toucher, les aiguilles s'élèvent comme une succession infinie de vagues rocheuses. Voici la crête du mont Blanc et le doigt mince du Peuterey; là-bas, je reconnais le Grépon et le Charmoz, et la Dent du Géant, pareille à une immense défense, les sommets jumeaux des Drus et la formidable silhouette des Grandes Jorasses. Pendant la plus grande partie de ma vie, j'ai lu des livres sur ces montagnes et j'ai contemplé leurs photos floues découpées dans des magazines et collées sur les murs de ma chambre, en essayant d'imaginer la texture de leur granit.

Il se fait tard. Je dois me dépêcher de redescendre pour ne pas manquer le dernier téléphérique qui me ramènera dans la vallée. Pourtant, je ressens une chaleur intérieure, agréable et particulière. Il me répugne d'y mettre fin avant qu'elle ait pu se développer pleinement. « Encore cinq minutes », marchandé-je avec moi-même à voix haute. A quatre cents mètres en dessous de moi, l'ombre de la tour Ronde s'étire sur le glacier comme un chat.

Quand je regarde à nouveau ma montre, une heure s'est écoulée. En bas, à Chamonix, les rues sont déjà plongées dans l'ombre et les bars commencent à se remplir de grimpeurs et de parapentistes rentrés des sommets. Si je me trouvais là-bas maintenant, à la même table que quelques grimpeurs au regard audacieux, héritiers spirituels de Messner, Bonatti ou Terray, mon excursion au sommet de la tour Ronde paraîtrait tellement banale qu'elle ne mériterait pas qu'on en parle. Mais ici, sur la cime de cette montagne, je vois les choses différemment. Les sommets resplendissent encore dans le soleil d'automne. Les pentes sont imprégnées d'histoire, le glacier désert semble animé par la lumière. « Encore cinq minutes, me dis-je une nouvelle fois, et puis je me mettrai vraiment à redescendre. »

8

DANS LES CANYONS

La rivière Salt serpente à travers l'Arizona. Elle coule depuis l'ouest du haut pays apache, près de la frontière du Nouveau-Mexique, jusqu'à l'argile desséchée du désert de Sonora, puis traverse les étendues brumeuses de la région de Phoenix avant de perdre son nom et ce qui lui reste d'eau dans la rivière Gila. La Salt a été tellement diminuée par les barrages, les réservoirs, les canaux d'irrigation, que, lorsqu'elle atteint le centre de Phoenix, elle n'est plus qu'un filet d'eau sablonneuse bordé de berges bétonnées.

La première fois que j'ai aperçu la puissante Salt, c'était par le hublot d'un 737 lors de l'approche de l'aéroport de Phoenix. Alors qu'en ce début du mois d'avril le flot aurait dû être au plus haut, le lit de la rivière était à sec. Une heure plus tard, mon camarade Rick Fisher m'affirmait avec le plus grand sérieux : « La Salt est l'une des rivières les plus spectaculaires et les plus difficiles de toute l'Amérique du Nord et elle parcourt l'une des dernières régions vraiment sauvages des quarante-huit Etats. » J'acquiesçai par politesse et m'incitai intérieurement à l'indulgence en me souvenant que j'avais moi-même tenté de convaincre un ami de Boston que les Seattle Mariners — mon club de base-ball, régulièrement dernier du championnat — était en réalité la plus talentueuse des équipes. Fisher, trente-six ans, photographe et guide de randonnée à Tucson, saisit une lueur de scepticisme dans mon regard. « Attends, protesta-t-il avec assurance, tu t'en apercevras bien assez tôt. »

Mais quand nous arrivâmes dans le canyon de la haute Salt dans l'intention d'y passer une semaine en excursions dans les parages de la rivière et de ses affluents, je ne m'en aperçus toujours pas. Nous étions à cent soixante kilomètres de Phoenix, au-dessus du dernier barrage et des canaux de dérivation, aussi y avait-il de l'eau dans le lit de la rivière. Le paysage aride qui nous entourait possédait un certain charme rocailleux mais il était difficile de trouver l'endroit spectaculaire, surtout à quelques heures de route du Zion et du Grand Canyon. Qui plus est, quelque deux cents personnes — des familles dans des motor-homes vastes comme des navires de guerre, des groupes d'adolescents tapageurs qui faisaient hurler leurs radiocassettes, des amateurs de week-ends au bord de la rivière arborant des coupes de cheveux à quarante dollars et des lunettes de soleil à cent dollars, de vieux gamins au visage rose s'enfilant des bières — étaient installées le long de la berge tandis qu'un carrousel de canots pneumatiques passait et repassait sur les modestes flots depuis l'aube jusqu'au crépuscule. « Ce canyon est vraiment sauvage, pensai-je, mais il n'est nullement désert. »

Pourtant, j'avais clos un peu trop tôt le chapitre de Fisher et de sa rivière. Mon camarade avait le chic pour découvrir des lieux cachés — certains tout proches des formidables troupeaux de la Sun Belt —, épargnés par la main pesante du vingtième siècle. A quelques kilomètres en aval du terrain de camping surpeuplé, il gara son vieux 4×4 et nous conduisit — quatre de ses amis, deux golden retrievers et moi — dans un étroit canyon du lit de la Salt, à un endroit où un ruisseau appelé le Cibecue la rejoint.

Quelques minutes plus tard, nous aperçûmes au-dessus de nous des murs rocheux abrupts — une incroyable mosaïque de diabase volcanique noire parcourue par des veines sinueuses de grès jaune — et le fond du défilé devint tellement resserré qu'il nous fallut entrer jusqu'aux genoux dans l'onde rapide, claire et étonnamment froide du cours d'eau. A huit cents mètres en amont, au détour d'une courbe, nous nous vîmes dans un cul-de-sac naturel, une spectaculaire bizarrerie topographique que les gens du pays appellent «la boîte en pierre». Des murs surplombants de pierre lisse nous environnaient, constituant une grotte étroite en forme de U. Le cours d'eau plonge du haut de cette grotte en une cascade de quinze mètres. Selon toute apparence, aller plus avant devrait exiger quelques manœuvres intéressantes, comme l'escalade d'une paroi très difficile avec des tennis mouillées. Heureusement, ce n'était qu'une impression. Fisher nous fit revenir quarante mètres en arrière, à un endroit où un campanile rocheux s'inclinait à mi-parcours contre le mur de la falaise. Ce campanile surplombait légèrement sa base, mais un verrou de main graisseux, une prise cachée providentielle et une tablette reposante conduisaient à une vaste corniche en haut du campanile. Et de là, une montée facile permettait de gagner le rebord de la falaise et d'accéder à la partie élevée du canyon. En quelques minutes, nous étions en haut, y compris les chiens que nous avions hissés au moyen de harnais de fortune et d'une corde.

Cette ascension n'était pas techniquement difficile, nous expliqua Fisher, mais « avec l'esprit nonchalant des campagnes du Sud-Ouest, sur l'ensemble des gens qui remontent le canyon jusqu'ici, ce qui ne fait déjà pas beaucoup de monde, quatre-vingt-dix pour cent font demi-tour, intimidés par la "boîte" ». Fisher, homme trapu et musclé, avec une moustache à la Pancho Villa et un air vaguement mélancolique, nous confia : « Quand j'ai commencé à venir dans ce canyon, l'ascension était encore plus facile mais, il y a quelques années, des types de Flagstaff sont venus ici avec un vérin hydraulique et ils ont écarté ce gros rocher qui se trouvait contre le campanile et rendait la montée bien plus aisée. Je n'aurais pas fait moi-même une chose pareille, mais je suis plutôt content qu'ils l'aient faite. C'est grâce à eux que seuls quelques randonneurs s'aventurent au-delà des chutes. On est peut-être à huit cents mètres de ce zoo qui campe sur la Salt, mais à partir d'ici le canyon se trouve encore à peu près dans l'état où il était voici cinq cents ans. »

De fait, au-dessus du cours d'eau, on avait l'impression d'entrer dans un monde entièrement nouveau. Même la végétation était différente. Comme le canyon Cibecue est défendu à chacune de ses extrémités par de formidables blocs rocheux, ni les vaches, ni les chevaux, ni les moutons n'ont jamais pu y pénétrer. En conséquence, la flore originale des rives n'a pas été supplantée par les espèces qui envahissent les terrains où paissent les troupeaux.

Tandis que nous remontons le canyon, il s'ouvre sur de larges espaces verdoyants pendant deux ou trois kilomètres puis se resserre brusquement en une faille courbe qui à un endroit est large de deux mètres à peine entre deux murs verticaux. De là, nous apercevons le nid d'un aigle posé en équilibre, à soixante mètres au-dessus de l'eau, sur le sommet d'une flèche de grès fine comme une aiguille. Un peu plus loin, nous trouvons une habitation pariétale, creusée voici sept cents ans par les Mogollons, peuple contemporain des Anasazis qui, eux, vivaient plus au nord.

Le Cibecue, de même que la Salt et ses autres affluents, draine le versant sud de ce qu'on appelle le Mogollon Rim. Celui-ci, qui coupe en diagonale le centre-nord de l'Arizona entre Flagstaff et Phoenix, constitue le bord sud de l'énorme plateau du Colorado. Avec un dénivelé de mille huit cents mètres, le Rim marque de manière brutale le passage entre d'une part les hautes montagnes et les forêts des Rocheuses et d'autre part les plaines et les bassins du désert de Sonora.

Le Rim est parsemé de toute une série de petites villes minières ou agricoles délabrées et, en bas de sa pente, s'étend la ville de Phoenix, avec ses deux millions d'habitants. Mais à cause de la configuration sévère du pays mogollon, il s'y attache une réputation de *terra incognita* où prospère une population d'ours bruns, d'aigles chauves ou dorés, de lions des montagnes, de cerfs et de mouflons. Quatorze ou quinze canyons notables — portant des noms comme « la Cruche de Salomé », « les Portes de l'enfer », « le Castor sec », « la Cornemuse du Diable » — forment la partie escarpée du Rim. En dehors des visites improbables de quelque prospecteur ou propriétaire de ranch, ils sont restés inexplorés depuis des siècles.

Les charmes du Rim étaient si peu connus que le Forest Service fit le projet, en 1984, d'organiser son exploitation commerciale. Par chance, cette idée échoua après que des défenseurs de la nature — parmi lesquels se trouvait Fisher — eurent attiré l'attention du public sur cette région et obtenu du Congrès que le site soit protégé. Cette décision fut un grand soulagement pour Fisher. A l'entendre, les défilés du pays mogollon offrent les meilleurs lieux de canyoning du continent nord-américain.

C'est du moins ce qu'il prétend. Le fleuve Colorado a ciselé, depuis le centre du plateau qui porte son nom, une entaille longue de mille six cents kilomètres et profonde de plusieurs centaines de mètres, et chacun de ses affluents ainsi que chacun des ruisseaux et des rus qui se jettent dans ces affluents a lui aussi érodé profondément le sol, transformant la plus grande partie du Colorado, de l'Utah, de l'Arizona et du Nouveau-Mexique en un labyrinthe fantasmagorique de failles creusées dans la roche rouge. A proprement parler, des centaines de ces canyons pourraient être présentés comme le dernier échantillon de la nature sauvage. Certains sont encore à explorer, d'autres ne sont connus que de quelques personnes. Dès lors, comment peut-on affirmer que l'un de ces canyons, ou deux, ou vingt, est en quoi que ce soit supérieur aux autres ?

Pour comprendre ce qui pousse Fisher à soutenir que les canyons mogollons — dont la plupart sont presque inconnus, même à l'intérieur des limites de l'Arizona — sont de meilleurs lieux de canyoning que les célèbres défilés de Zion, de l'Escalante, des Canyonlands, ou même que le Grand Canyon, il est d'abord nécessaire de comprendre ce qu'est et ce que n'est pas le canyoning à ses yeux, lui qui se transforme en zélateur passionné dès qu'on parle de ce nouveau loisir. Selon sa conception, le véritable canyoning est un mélange de varappe, de descente de rivière et de randonnée. Si ce que vous pratiquez ne contient pas une sérieuse dose de ces trois éléments, ce n'est pas du vrai canyoning.

L'enthousiasme de Fisher pour le canyoning dans le Mogollon Rim tient à la structure géologique du sous-sol. C'est un véritable pudding de roches sédimentaires, ignées et métamorphiques. Une disposition désordonnée en strates tantôt dures, tantôt tendres donne aux canyons une architecture qui non seulement varie d'un bassin de drainage à l'autre, mais qui est aussi embellie par des cascades à plusieurs niveaux, des citernes diaboliques et des failles épouvantablement étroites. « Il y a d'autres endroits au monde, déclare Fisher, qui possèdent des canyons plus grands que ceux du Mogollon Rim, mais ils ne sont nulle part si particuliers et on en trouve peu qui soient aussi difficiles à descendre. »

Ce n'est pas que Fisher aime la difficulté plus qu'un autre, mais il apprécie l'aspect impressionnant des canyons du Rim. C'est ce qui les préserve des clubs d'étudiants, des malades de la gâchette, du commun des incapables et autres gugusses. « Je connais peut-être deux cents types qui vont dans des canyons escarpés comme l'Escalante, le Buckskin-Pariah, les Zion Narrows. Ce sont des sites assez spectaculaires mais, sur la plus grande partie de leur parcours, ils n'exigent rien de plus que des qualités de randonneur. Il en résulte que, par un beau jour de printemps, on peut voir vingt personnes en train de parader dans un endroit comme les Zion Narrows. Tandis que les défilés du West Clear Creek, le plus connu des canyons du Rim, ne voient passer que quatre ou cinq groupes par an. Il existe quatre canyons importants dans le nord-ouest de l'Arizona — je ne vais pas te dire lesquels — qui n'ont jamais été visités, à ce que je sache. »

C'est cette faible fréquentation qui fait que les trésors environnementaux et culturels du pays mogollon sont remarquablement préservés. Fisher mentionne deux canyons situés à moins de cent kilomètres de Phoenix qui abritent encore des habitations creusées dans la falaise. « Il est probable que je pourrais gagner fort bien ma vie en allant piller les habitations pariétales des Mogollons. Leurs poteries se vendent cher au marché noir. Mais je ne pourrais plus me regarder en face. Les amateurs de canyons que je connais se sont fixé pour règle stricte de ne jamais toucher aux habitations pariétales. Un jour, l'un de mes amis a trouvé une poterie magnifique, en parfait état, enfouie dans le sable jusqu'au goulot. Il l'a déterrée pour la regarder puis l'a réenfouie jusqu'au goulot, exactement comme il l'avait trouvée, et il a poursuivi sa route. »

Connaissant bien les innombrables secrets qu'ils recèlent, Rick Fisher peut prétendre à bon droit être l'autorité mondiale en matière de canyons mogollons. Il en a exploré plus que quiconque, mais ce n'est qu'à la fin des années soixante-dix qu'il a visité son premier canyon. Il était alors étudiant à l'université d'Arizona. Ce qui le décida à cette exploration initiale, ce fut une rumeur selon laquelle il existait un endroit merveilleux appelé les White Pools que l'on disait situé quelque part dans le cours supérieur du West Clear Creek — un affluent de la rivière Verde qui coule à une cinquantaine de kilomètres au sud-est de Sedona.

Il lui fallut toute une journée de crapahutage sur des falaises friables et dans un océan d'épineux simplement pour accéder au fond du canyon. Pendant la nuit, il fut réveillé par un bruit. Quelque chose remuait dans son sac. A la lumière de sa lampe électrique, il vit paraître un serpent à sonnette qui le regardait droit dans les yeux. Le lendemain matin, remontant le cours d'eau, il s'aperçut que les parois se rapprochaient de plus en plus jusqu'à ne former qu'une entaille étroite. A un endroit, il découvrit trois grosses branches d'arbre emmêlées et coincées entre les deux murailles à dix-huit mètres au-dessus de lui. Cela témoignait de la force et de l'étiage des flots qui descendent le canyon pendant les crues, et donnait à réfléchir.

Au bout d'un kilomètre et demi, il rencontra la première série de ce qu'il appelle des «boîtes d'eau». C'est-à-dire des bassins impossibles à contourner et trop profonds pour être traversés à gué. Ses deux compagnons et lui-même durent les franchir à la nage. La difficulté qu'il y a à nager avec un sac à dos, pour ne rien dire de celle de garder son contenu sec, finit par le convaincre d'emporter dans ses explorations suivantes un petit radeau pneumatique de dimensions assez réduites pour qu'on puisse le placer à l'intérieur d'un sac mais néanmoins capable de porter un stock d'une semaine de nourriture et divers instruments. De tels radeaux furent bientôt reconnus comme essentiels dans la pratique du canyoning. Mais avant que ce soit vraiment admis, il fallut que, en 1979, le président du Sierra Club de Phoenix se soit noyé en tentant de franchir à pied le défilé du West Clear Creek.

La première expérience que constitua pour Fisher cette excursion dans le Mogollon Rim lui donna la passion du canyoning. Il est retourné plus de dix fois au West Clear Creek. Il a aussi exploré méthodiquement presque tous les autres canyons de la région, améliorant constamment ses techniques et ses outils. «Ce que j'ai compris assez vite, c'est que chaque canyon mogollon est particulier. Une différence infime dans la constitution géologique d'un canyon peut changer complètement les instruments nécessaires, les techniques requises, la saison appropriée pour tenter une descente. Ce qui est bon pour le West Clear Creek ne le sera pas nécessairement pour le Salomé, ce qui marche au Salomé ne marchera pas du tout au Tonto, et un endroit magnifique en mai peut être mortel en juillet. »

Il a appris également à repérer sur une carte l'emplacement des canyons les plus intéressants — c'est-à-dire, selon les critères dominants du canyoning, ceux qui offrent les passages les plus étroits, les chutes d'eau les plus photogéniques, les bassins les plus profonds, les eaux les plus limpides. « Pour découvrir un bon canyon sur une carte, m'explique-t-il, il faut d'abord rechercher une montagne assez élevée — dans cette région, autour de 2 500 mètres — pour qu'elle capte la pluie. Puis analyser la dimension du bassin d'impluvion au-dessus du canyon qui t'intéresse : généralement, il faut qu'il s'étende sur quinze kilomètres de large et trente de long afin que le flot soit suffisamment fort pour creuser une faille décente. Ensuite, tu examines les contours du canyon. Il faut qu'ils révèlent une formation à la fois profonde et très étroite. On peut avoir un canyon profond, mais s'il est trop large il n'offrira rien d'intéressant. Enfin, continue-t-il, il faut étudier la géologie. Si la constitution pédologique n'est pas exactement appropriée, la plus grande partie des flots se perdra dans le sol, même si le bassin de drainage est étendu, et tu n'y trouveras ni bassin, ni chute d'eau, ce qui est précisément ce qui m'attire dans un canyon. » En rassemblant tous ces facteurs, assure-t-il, on peut généralement déterminer à l'avance si un canyon mérite le déplacement.

Généralement, mais pas toujours. Voici un certain

nombre d'années, Fisher avait remarqué une faille sur une carte — il l'appelle d'un nom fictif, le Canyon de cristal, afin de garder secret son emplacement — qui paraissait prometteuse à tous égards sauf en ce qui concerne la constitution géologique : de la roche ignée. « Le plus souvent, dit-il, cela donne un canyon plutôt ennuyeux. C'est pourquoi j'ai laissé tomber. Mais la suite a révélé que je m'étais trompé... j'avais fait fausse route. » Un jour, un pilote qui connaissait la passion de Fisher pour les canyons lui rapporta qu'il avait été amené à survoler le Cristal et qu'il avait remarqué de très grandes chutes d'eau. Fisher décida aussitôt de mettre au placard sa science géologique et d'aller voir sur place.

Accéder au canyon supposait une randonnée préalable sur un plateau où pullulait une espèce particulièrement agressive de serpents à sonnette noirs (« Ils ne dépassaient pas un mètre vingt, raconte-t-il, mais ils étaient épais comme un bras musclé et avaient une tête très large, horrible à voir »), puis il fallait descendre dans le lit du cours d'eau par une paroi verticale de soixante mètres. En suivant les pétroglyphes mogollons, il finit par découvrir un itinéraire sur les falaises de basalte, mais, insiste-t-il, « c'était tout de même une escalade sérieuse : ces Mogollons étaient de sacrés grimpeurs et ils n'avaient sûrement pas peur du vide ».

Le risque pris par Fisher lui valut de jolis bénéfices. Les chutes d'eau répondaient à ce qu'il espérait, d'autant plus que : « Il y avait aussi des habitations pariétales et des bassins qui sont parmi les plus profonds et les plus limpides de tout l'Arizona. Et la paroi qui s'élevait au-dessus de l'un de ces bassins était incrustée de millions de cristaux de quartz, certains agglomérés en énormes grappes. En tant que pierre, ils n'étaient pas d'une grande qualité, mais ils n'en faisaient pas moins un effet incroyable. Vous comprenez maintenant pourquoi je garde secret l'emplacement de ce canyon ? On peut y aller n'importe quel jour de l'année — j'y suis retourné six fois —, je vous garantis qu'on n'y voit pas âme qui vive. »

L'obsession est une drôle de chose. On peut se demander quelles circonstances de l'éducation, quels caprices de la configuration chromosomique poussent certaines personnes à se passionner pour le championnat de base-ball tandis que d'autres consacrent leur vie à la sélection de la tomate parfaite. Qui donc peut dire pourquoi Rick Fisher s'est à ce point investi dans les canyons du Sud-Ouest ?

Au cours des dix dernières années, chaque fois qu'il en a eu l'occasion, Fisher est allé explorer les canyons mogollons tant par plaisir que par profession. Il a fixé leur aspect fantastique dans des milliers de photographies et a témoigné devant le Congrès dans le but d'obtenir pour eux la protection d'un statut officiel. Il s'est servi de leur charme pour faire la cour, avec succès, à un nombre de femmes non négligeable, ou pour tenter, sans succès, de remettre dans le droit chemin de jeunes délinquants, et il a permis à beaucoup d'enfants handicapés et à divers autres citadins affiliés à l'aide sociale de connaître les plaisirs de la nature.

Toutefois, paradoxalement, si tant est que Fisher soit célèbre, ce n'est nullement pour sa connaissance des canyons du Mogollon Rim mais plutôt pour ses exploits dans les barrancas de la Sierra Madre mexicaine — sur lesquelles il a écrit un guide pour le grand public. Ces dernières années, il a tiré l'essentiel de ses revenus de ses voyages aventureux.

C'est en 1986, dans la Sierra Madre, qu'il a effectué son canyoning le plus remarquable : il a descendu deux des plus profonds canyons d'Amérique du Nord, le Sinforosa et l'Urique. Ce dernier lui a fait connaître des émotions fortes qui n'avaient rien à voir avec celles que procure la descente d'un torrent ou une périlleuse varappe.

Pour cette excursion dans la barranca de l'Urique, Fisher avait emmené deux compagnons : une femme, Kerry Kruger, et son petit ami, Rick Brunton. Pendant trois jours, ils avaient pagayé sur un petit radeau pneumatique ou bien ils l'avaient transporté dans le fond du canyon sans le moindre incident. Puis ils quittèrent la province de Chihuahua pour entrer dans celle de Sinaloa — bien connue pour ses plantations de marijuana et de pavot. Ce soir-là, ils débarquèrent afin d'établir leur campement sur la berge au confluent d'un petit cours d'eau, et Fisher partit à pied à la recherche d'eau potable. Presque tout de suite, il tomba sur un champ de maïs qui semblait anormalement vert. En regardant de plus près, il découvrit que chaque canne de maïs abritait un pied d'herbe. « Je suis retourné en vitesse au radeau, se souvient-il, et je leur ai dit : “Il faut remballer et décamper au plus vite !” »

Fisher m'explique sa réaction : « Les *campesinos* de cette région du Mexique ne parviennent pas à comprendre pourquoi de riches gringos se donneraient la peine de descendre cette rivière perdue à moins d'espionner pour le compte de la DEA [1].

« Afin d'éviter une confrontation, nous avons pagayé comme des fous pendant une heure, mais la rivière

1. Drug Enforcement Administration. Service américain de lutte contre le trafic de stupéfiants. *(N.d.T.)*

faisait de larges méandres, si bien que notre pagayage intensif nous a ramenés au champ de drogue. A la sortie d'un coude, de chaque côté de la rivière, se tenaient accroupis sur leurs talons des individus efflanqués armés de fusils. Un seul était debout. Il arborait une chemise élégante et un beau chapeau de cow-boy. Et au lieu d'un fusil, il tenait un automatique. Il nous a interpellés en nous demandant d'approcher. Il voulait nous acheter des cigarettes, disait-il. On a répondu : "Nous ne fumons pas, c'est mauvais pour les poumons." Je ne sais pas pourquoi, ils ont tous eu l'air de trouver cette réponse très drôle. »

Finalement, Fisher parvint à dénouer la situation en montrant au type au pistolet des articles de journaux qu'il a toujours sur lui en prévision d'incidents de ce genre. Convaincus que Fisher n'était en aucune façon un agent de la DEA, les cultivateurs d'herbe laissèrent les voyageurs poursuivre leur chemin. Peu de temps après, ceux-ci arrivèrent dans un village. D'après Fisher : « Il n'y avait pas de route à moins de trois cents kilomètres. On aurait dit que l'endroit était sorti d'un film de Clint Eastwood, avec des chevaux attachés à la barrière et tous ces Mexicains balafrés qui se promenaient avec un fusil posé sur l'épaule. Ils nous regardaient comme si nous venions de débarquer d'un vaisseau spatial. »

Avant de poursuivre sa route, Fisher se rendit dans le centre du village pour photographier une mission du dix-huitième siècle en ruine, tandis que Kruger et Brunton gardaient le radeau. Or, pendant l'absence de Fisher, trois jeunes Mexicains ivres, qui venaient de fêter la livraison d'une grosse quantité de drogue au terrain d'aviation voisin, avaient suivi le cours de la rivière et, ayant rencontré les gringos, avaient décidé de les embêter pour s'amuser. Au moment où Fisher rejoignait le radeau, l'un des Mexicains essayait d'embrasser Kruger et Brunton s'élançait pour les séparer. Lorsque Fisher arriva, le Mexicain enfonçait le canon d'un revolver dans la poitrine de Brunton.

Une fois de plus, Fisher s'arrangea pour faire baisser la tension avant qu'un malheur ne survienne. De manière assez étonnante, il y parvint en apostrophant les trois hommes de main dans un espagnol approximatif. «En prenant bien garde de ne pas les regarder dans les yeux, ce qui aurait été pris pour une provocation, je me suis mis à leur crier qu'ils étaient des *muy malos hombres* et qu'ils devraient avoir honte d'importuner d'innocents touristes. Et cela a marché. Le chef m'a donné une grosse bourrade sur l'épaule puis ils ont rangé leurs armes et ils sont partis.» Pris de tremblements incontrôlables, Fisher et ses amis sautèrent dans le radeau et pagayèrent aussi vite que le permettaient leurs bras.

Bien entendu, le canyoning n'exige pas de telles ressources d'adrénaline et n'implique pas non plus des voyages lointains. Je m'en rendis compte vers la fin de mon séjour en pays mogollon lorsque, en compagnie de Fisher et de ses amis, nous visitâmes un canyon que les gens du coin nomment la Cruche de Salomé. A vol d'oiseau, il se trouve à moins de quatre-vingts kilomètres de la ville de Scottsdale — la nuit, en direction de l'ouest, les lumières de Phoenix scintillent comme une façade de cinéma —, mais c'est le plus impressionnant des cinq canyons mogollons que j'ai visités. Si une randonnée dans un défilé difficile comme le Tonto Creek ou la barranca de Sinforosa représente en matière de canyoning l'équivalent d'une expédition sur l'Himalaya, la descente du Salomé est analogue à une promenade en moyenne montagne par temps ensoleillé.

Une demi-heure de marche sur une piste à l'abandon jalonnée d'*ocotillos* et de milliers de majestueux *saguaros* nous conduisit au bord du canyon. Il était étroit au point qu'on aurait pu cracher sur l'autre bord, et il tombait tout droit sur soixante mètres jusqu'aux eaux étincelantes du Salomé Creek. Il paraissait inévitable de descendre en rappel. Mais Fisher nous conduisit vers un réseau inapparent de rampes naturelles qui nous permit de descendre facilement au fond du défilé.

D'une extrémité à l'autre, le Salomé s'étendait sur huit cents mètres, mais ce qui lui faisait défaut en perspective était plus que compensé par une intense impression d'intimité et de solitude. Ce canyon était un ensorcelant petit morceau de nature comme je n'en avais jamais vu : l'eau, teintée d'une étonnante couleur émeraude par la dissolution de certains minéraux, s'écoulait en gazouillant le long d'une série de bassins longs et étroits, reliés entre eux par des cascades dont la hauteur variait de quelques dizaines de centimètres à plus de vingt mètres. Au-dessus s'élevaient des murs de granit rose travaillés par de belles courbes et des angles voluptueux, et polis comme des boules de billard.

Nous décidâmes de nous amuser à le descendre de bout en bout. La journée se passa à traverser des bassins et à escalader des rochers sous des chutes d'eau. Quand le cœur nous en disait, nous nous asseyions au soleil et regardions les nuages glisser dans la petite bande de ciel délimitée par les bords du canyon. Vers le soir, allongé sur une délicieuse dalle de granit, je laissais la chaleur de la roche rose pénétrer mon dos détrempé quand il me vint à l'esprit que c'était le jour de mon anniversaire. Je n'aurais pu trouver meilleur endroit pour ce jour-là, pensai-je, même en cherchant bien.

9

UNE MONTAGNE PLUS HAUTE QUE L'EVEREST ?

On raconte que, en 1852, par un après-midi de forte chaleur, Sir Andrew Waugh, le directeur du Service trigonométrique des Indes, était assis dans son bureau quand un calculateur (à cette époque les calculateurs étaient en chair et en os, et non pas constitués de circuits électroniques), un certain Hennessey, entra précipitamment et proclama : « Je viens de découvrir la plus haute montagne du monde ! » Ce qu'il avait « découvert » s'élevait au-dessus des crêtes de l'Himalaya, dans le royaume interdit du Népal, et n'était connu à l'époque que sous la dénomination de Pic XV. D'après Hennessey, il atteignait la hauteur de 8 840 mètres au-dessus du niveau de la mer.

En se servant de théodolites de précision, les géographes avaient, entre 1849 et 1850, étudié à plusieurs reprises le Pic XV depuis les plaines de l'Inde du Nord, mais jusqu'aux calculs effectués deux ans plus tard par Hennessey à partir de leurs données, personne ne soupçonnait que le pic atteignait une hauteur inhabituelle. Les stations d'observation se trouvaient à plus de cent soixante kilomètres de la montagne et, à cette distance, le sommet est en grande partie masqué par les importants massifs qui sont devant lui et dont beaucoup paraissent d'une stature bien supérieure.

En 1865, quand on eut vérifié les calculs de Hennessey et que Waugh eut acquis la conviction qu'aucune autre montagne de l'Himalaya ne dépassait le Pic XV, il le baptisa officiellement « mont Everest » en l'honneur de son prédécesseur au poste qu'il occupait, Sir George Everest. Il ignorait que les Tibétains, qui vivent au nord du massif, lui avaient déjà attribué plusieurs noms qui étaient à la fois plus appropriés et plus harmonieux, notamment celui de Chomolungma, qui signifie « Déesse-Mère de la Terre ».

Avant que le mont Everest soit mesuré, le titre de plus haute montagne du monde avait été attribué à un grand nombre de pics. Aux XVIIe et XVIIIe siècles, l'opinion générale considérait que c'était un volcan des Andes, le Chimborazo (6 310 mètres). En 1809, un géographe britannique estima qu'une montagne himalayenne appelée le Dhaulagiri mesurait 8 188 mètres (récemment, sa hauteur a été ramenée à 8 167 mètres) et que, par conséquent, c'était elle qui méritait le titre. Mais les géographes qui travaillaient hors des frontières de l'Inde pensaient généralement que cette estimation était exagérée et ils continuèrent à se prononcer en faveur du Chimborazo jusqu'en 1840. A cette date, le titre revint brièvement au Kangchenjunga, un pic de 8 586 mètres voisin de l'Everest, et finalement, peu après 1850, à l'Everest lui-même.

Il est inutile de préciser que, dès qu'il fut bien établi que la cime de l'Everest était le point le plus élevé de la Terre, il ne s'écoula guère de temps avant que les hommes décident qu'il était nécessaire d'en faire l'ascension. « Atteindre le sommet, déclara G.O. Dyrenfurth, chroniqueur influent des premières expéditions dans l'Himalaya, est une cause universelle qui ne tolère aucun désistement, quel que soit le prix à payer en vies humaines. » Il apparut plus tard que ce prix ne serait pas négligeable. A dater de la proclamation de Hennessey dans le bureau de Sir Andrew, il faudrait quinze morts, treize expéditions et cent un ans avant que le sommet de l'Everest soit vaincu.

Ce ne fut que dans la journée du 29 mai 1953 qu'un Néo-Zélandais de haute taille, Ed Hillary, et son robuste équipier le Sherpa Tenzing Norgay franchirent les dernières ondulations de l'arête sud du mont Everest. « A la fin de la matinée, raconta plus tard Hillary, nous commencions à nous sentir fatigués. Je taillais des marches dans la glace depuis presque deux heures et, d'une humeur plutôt sombre, je me demandais si nous aurions assez de force pour réussir. Et puis, en contournant une bosse, je m'aperçus que, plus haut, l'arête redescendait et que nous pouvions apercevoir le Tibet sur une grande profondeur. Je levai les yeux et distinguai un cône neigeux au-dessus de nous. Quelques coups de piolet, quelques pas prudents, et Tenzing et moi étions au sommet. » C'est ainsi que, juste avant midi, Hillary et Tenzing devinrent les premiers hommes à poser le pied sur la cime de l'Everest.

Quatre jours plus tard, le matin du couronnement de la reine Elizabeth, la nouvelle de l'ascension parvint en Angleterre. « Le *Times,* écrivit Jan Morris, la journaliste qui fut la première à en parler (à l'époque, elle était encore *un* journaliste et signait James Morris), avait donné l'information dans son édition du matin. L'immense foule qui attendait sous la pluie la cérémonie du couronnement avait été avertie avant l'aube, le monde entier se réjouissait avec nous. Tout était parfait. » La conquête de ce « troisième pôle » déclencha un débordement de fierté chez les Britanniques. Hillary fut anobli ; Tenzing devint un héros national en Inde, au Népal et au Tibet (chacun de ces pays se l'appropriant). Dans la suite des temps, chaque almanach, chaque encyclopédie indiquerait à jamais que les premiers hommes à avoir conquis la plus formidable montagne de la Terre s'appelaient Sir Edmund P. Hillary et Tenzing Norgay. Ou du moins, c'est ce qu'il semblait jusqu'au 7 mars 1987, date à laquelle le *New York Times* publia un bref article dans ses pages intérieures sous le titre : « De nouvelles données pourraient reléguer l'Everest à la seconde place. »

Les données en question avaient été recueillies pendant l'été 1986 par une expédition américaine sur le K2 — une pyramide vertigineuse de roche brune et de glace étincelante qui chevauche la frontière sino-pakistanaise à quelque mille trois cents kilomètres au nord-ouest de l'Everest. Après avoir mesuré les signaux électromagnétiques émis par un satellite militaire, un astronome de l'université de Washington, George Wallerstein, avait calculé que le K2 — considéré pendant longtemps comme s'élevant à 8 611 mètres — atteindrait en réalité 8 859 mètres et peut-être même 8 909 mètres. Si la découverte de Wallerstein était confirmée, c'est le K2 et non l'Everest — auquel une minutieuse étude chinoise a attribué en 1975 une hauteur de 8 848 mètres — qui serait, sur notre planète, le plus haut morceau de *terra firma*.

Au cours des années qui ont suivi l'ascension de Hillary et Tenzing, plus de deux cents hommes et femmes sont parvenus au sommet de l'Everest, des milliers d'autres ont essayé et échoué. Tout cela a fait dépenser des millions de dollars, a valu à beaucoup l'amputation de leurs orteils gelés et, au dernier décompte, a coûté plus d'une centaine de vies humaines. Tous ceux qui ont fait ces sacrifices croyaient fermement qu'ils se mettaient en quête du plus haut trophée de l'alpinisme. « Mais si Wallerstein a raison, dit Lance Owens, chef de l'expédition américaine de 1986 sur le K2, cela veut dire que tout le monde s'est trompé de montagne. » En fait, si Wallerstein avait raison, l'honneur de la première ascension de la plus haute montagne reviendrait non à Hillary et Tenzing mais à deux alpinistes italiens peu connus, Lino Lacedelli et Achille Compagnoni, qui, en 1954, furent les premiers vainqueurs du K2.

Toutefois, les géographes et les géodésistes mirent rapidement le public en garde contre une conclusion précipitée ; il était encore trop tôt pour que Hillary rende son titre de noblesse et que les Italiens débouchent des bouteilles de champagne. Wallerstein lui-même fit savoir à plusieurs reprises que ses observations relevaient d'une « étude préliminaire » et qu'il serait prématuré de prétendre que le K2 était plus grand que l'Everest avant qu'on ait effectué une mesure précise des deux montagnes par la technique des satellites. Wallerstein savait pertinemment que, dans l'histoire récente de l'Himalaya, il était arrivé plusieurs fois que certains prétendent avoir découvert une montagne plus haute que l'Everest avant qu'un examen sérieux de leurs « preuves » ne tourne à leur confusion.

Autour des années trente, par exemple, on s'intéressa avec passion à un pic impressionnant, le Minya Konka (appelé aujourd'hui le Gongga Chan), situé dans un coin perdu de la province chinoise du Se Tchouan. En 1929, au retour d'une expédition dans cette région, où ils étaient partis à la recherche d'une espèce de panda géant, Kermit et Théodore Roosevelt Jr — fils du président dresseur de chevaux — évoquèrent dans un livre le Minya Konka, dont ils disaient que, selon certains, « s'élevant à plus de 9 000 mètres, il est la plus haute montagne du monde ». Les comptes rendus d'un dénommé Joseph Rock, botaniste autodidacte sachant flairer le sensationnel mais peu rigoureux dans le relevé des données, ajoutaient foi à ces rumeurs. Cet homme était allé dans un monastère au pied du Minya Konka, avait établi au moyen d'un compas et d'un baromètre une estimation de la hauteur du pic, puis s'était hâté de télégraphier à la National Geographic Society : « Minya Konka plus haute montagne du monde *stop* 9 220 mètres *stop* Rock. »

La NGS, qui finançait les expéditions de Rock en Chine, refusa de publier ce chiffre. D'autres études, moins fantaisistes, montrèrent que le Minya Konka n'atteint que 7 590 mètres et se trouve donc à plus d'un kilomètre au-dessous du sommet de l'Everest. Pour Rock, cela n'avait aucune importance. Il s'était prémuni contre les critiques en signalant une autre montagne, à six cents kilomètres au nord du Minya Konka, qui faisait elle aussi plus de 9 000 mètres. Les féroces indigènes qui vivaient au pied de ce pic le considéraient comme le séjour de leurs dieux et l'appelaient l'Anye Machin (son nom actuel est Magen Gangri). Les rumeurs relatives à sa hauteur devaient durer longtemps, bien après qu'on eut remisé celles qui se rapportaient au Minya Konka.

C'est le brigadier général George Pereira qui fut à l'origine de la légende de l'Anye Machin. Explorateur britannique accompli, il se lança en 1921 depuis Pékin dans un ambitieux voyage qui, selon son intention, devait lui faire traverser le Tibet, l'Inde, la Birmanie et le sud de la Chine avant de le ramener à Pékin. Pereira mourut en route, mais en 1923, avant son décès, il rencontra Rock dans le Yunan et lui parla d'une immense montagne, l'Anye Machin. Il était sûr qu'elle était plus grande que l'Everest. Immédiatement, Rock décida qu'il s'y rendrait. En 1929, il effectua un difficile voyage jusqu'au massif et procéda à une estimation de sa hauteur depuis une distance d'environ cent kilomètres en utilisant une fois de plus comme méthode ce que Galen Rowell — le reporter-photographe qui réalisa en 1981 l'une des premières ascensions de l'Anye Machin — a décrit comme « des relevés au compas d'altitudes calculées d'après la température d'ébullition de l'eau, associés à sa tendance habituelle à proposer des chiffres ahurissants ». De cette façon, Rock put établir que la montagne s'élevait à 9 000 mètres, dépassant l'Everest de cent cinquante mètres.

Pendant les vingt années qui suivirent, les spéculations sur la hauteur de l'Anye Machin en restèrent là. Toutefois, vers la fin de la Seconde Guerre mondiale, plusieurs journaux d'importance internationale s'en firent à nouveau l'écho. Ils écrivaient que, en 1944, un DC3 américain qui participait à un pont aérien entre la Birmanie et la ville de Tchouang King fut dévié de sa route par un violent orage. Quelque part aux environs de la chaîne de l'Anye Machin, le pilote sortit d'une couche de nuages à 9 300 mètres — son altimètre fonctionnait parfaitement — et aperçut une cime couverte de neige qui émergeait d'une bonne hauteur au-dessus du plafond nuageux, et plusieurs centaines de mètres au-dessus de l'avion.

On apprit plus tard que ce fameux vol avait été inventé de toutes pièces (un DC 3 ne peut en aucun cas voler à 9 300 mètres) par des officiers de l'armée de l'air américaine qui voulaient se moquer des correspondants de guerre britanniques, ces derniers ayant exaspéré les pilotes par le récit complaisant de leurs exploits. Mais en 1947, quand un fabricant américain de stylos âgé de cinquante-cinq ans, qui portait le patronyme de Milton «stylo à bille» Reynolds, lut un ouvrage de James Ramsey Ullman, *Kindom of Adventure : Everest,* où était évoqué ce fameux «vol», il ignorait tout du canular, comme le reste du monde. Ce qui frappa Reynolds, ce fut le passage du livre qui concernait l'Anye Machin : «Si cette mystérieuse montagne est vraiment plus haute que l'Everest, sa découverte figurera parmi les plus importantes de la géographie contemporaine.»

Reynolds était un millionnaire avide de publicité. Homme de petite taille, rondouillard et chauve, il aimait à se présenter comme l'inventeur du stylo à bille. En réalité l'invention était sortie du cerveau d'un Hongrois, Laszlo Biro, et Reynolds n'avait fait que le fabriquer et le diffuser en Amérique. Proclamant que cet instrument du dernier cri possédait entre autres qualités celle «d'écrire sous l'eau» mais oubliant de préciser que même sur un papier parfaitement sec il fonctionnait souvent mal, il parvint à en vendre en une année pour treize millions de dollars.

En avril 1947, accompagné par Bill Odom, un pilote d'essai sans le sou âgé de vingt-sept ans, il avait battu le record du tour du monde en avion établi par Howard Hughes. A peine le bruit considérable causé par cet exploit commençait-il à s'estomper qu'il eut l'idée de faire mieux encore : aller en Chine avec Odom pour prouver que la montagne aperçue par le pilote du pont aérien à plus de 9 000 mètres était bien l'Anye Machin.

Le 29 février 1948, Reynolds et Odom s'embarquèrent pour la Chine dans un très gros quadrimoteur, un C87, baptisé le *China Explorer,* qui avait été spécialement équipé pour effectuer des mesures géodésiques. Parmi ceux qui l'accompagnaient dans ce voyage se trouvait un célèbre alpiniste et géodésiste, Bradford Washburn, que le musée des sciences de Boston avait engagé afin qu'il s'assure que l'Anye Machin serait correctement mesuré. L'appareil transportait en outre dix mille stylos à bille en plaqué or qui devaient être offerts à Mme Tchang Kaï-chek. Lorsque l'un des assistants de Reynolds lui fit remarquer qu'ils fonctionnaient mal et ne valaient rien pour écrire, Reynolds répliqua : «Je le sais, mais de toute façon les Chinois ne savent pas écrire, ils seront contents de les avoir.»

L'expédition commença mal. A Pékin, en roulant sur la piste avant le décollage pour l'Anye Machin, Odom enlisa le C87 dans la boue, puis tenta de le dégager en poussant les moteurs. Tandis que les savants chinois et américains qui étaient à bord jetaient des regards horrifiés par les hublots, la roue droite se cassa et le gros avion s'écrasa sur le ventre, ce qui fendit un réservoir d'essence et détruisit l'un des moteurs. Personne ne fut blessé, mais Reynolds annonça d'une voix triste que l'expédition était terminée.

Le train d'atterrissage ayant été réparé, Reynolds et Odom s'envolèrent pour Shanghai dans l'espoir d'y trouver un nouveau moteur qui leur permettrait de ramener le coûteux appareil aux Etats-Unis. Pourtant, après le remplacement du moteur, Reynolds eut une autre idée. Au lieu de prendre le chemin du retour, proposa-t-il à Odom, ils pourraient, sans prévenir les autorités, effectuer un vol direct (rigoureusement interdit) de Shanghai à l'Anye Machin, sans emmener Washburn ni les observateurs chinois, pour prendre la mesure de la montagne. Ensuite, ils se rendraient directement à Calcutta.

Le 2 avril, ils décollèrent avec ce plan en tête. Mais Odom avait sous-estimé la quantité de carburant nécessaire. L'Anye Machin était à deux mille quatre cents kilomètres de Shanghai, Calcutta à trois mille deux cents kilomètres du pic et, comme le *China Explorer* approchait de la montagne, Odom prit conscience qu'il fallait faire tout de suite demi-tour s'ils voulaient éviter un atterrissage en catastrophe dans les étendues sauvages du Tibet.

« A cet instant, devait plus tard écrire Reynolds, j'aperçus devant moi une énorme masse sortant de la couche inférieure des nuages et s'élançant tout droit dans une nébulosité supérieure qui plafonnait à 9 400 mètres... Enfin je pouvais voir la plus haute montagne du monde ! »

Le *China Explorer* retourna à Shanghai, n'ayant plus à l'arrivée que quinze minutes d'autonomie. Les Chinois, furieux, investirent l'avion et conduisirent les deux Américains à leur hôtel sous bonne escorte. Reynolds ne regrettait rien. Quelques jours plus tard, il se faufila avec Odom jusqu'à l'avion dans l'intention de s'échapper. Comme il le raconte, ils venaient à peine de pénétrer dans l'appareil qu'une foule de Chinois s'approcha. Pour faire diversion, Reynolds leur largua les deux cents derniers stylos et, pendant que les Chinois se battaient pour se les approprier, Odom lança les moteurs et ils s'envolèrent sous une grêle de balles.

Reynolds et son *China Explorer* revinrent sains et saufs aux Etats-Unis, mais sans les éléments qui permettaient de prouver que l'Anye Machin était plus haut que l'Everest. C'est pour remédier à cette lacune que Leonard Clark, un explorateur, se rendit en 1949 au pied de la montagne équipé d'un théodolite rudimentaire emprunté à un service chinois de travaux publics.

Les mesures effectuées, il trouva qu'elle culminait à 9041 mètres. A son retour, il déclara avec insistance : « J'ai, sans le moindre doute, découvert la plus haute montagne du monde. »

Evoquant la mort du général Pereira en 1923 et celle de Bill Odom dans un accident au cours d'un meeting aérien à Cleveland en 1949, Clark prétendait que l'Anye Machin était maudite. Elle avait causé le malheur de « tous les explorateurs, pilotes et aventuriers qui avaient, ne serait-ce que brièvement, regardé cette montagne-divinité ». Quelques années plus tard, Clark devait lui-même disparaître sans laisser de trace en explorant une région d'Amérique du Sud. Son appréciation de l'Anye Machin n'eut hélas pas un meilleur sort que lui-même. Dans les années soixante-dix, des mesures sérieuses réalisées par les Chinois établirent que la hauteur réelle de la montagne était bien plus modeste qu'on ne l'avait pensé : 6282 mètres.

L'estimation que fit Wallerstein en 1986 de la hauteur du K2 était-elle sujette à caution au même titre que les mesures erronées de l'Anye Machin ? Si tel n'est pas le cas, comment expliquer qu'un pic aussi ordinaire que l'Anye Machin ait pu être considéré pendant près de cinquante ans comme un prétendant au titre détenu par l'Everest alors que, jusqu'à aujourd'hui, personne n'a jamais cru que le K2 — qui dépasse l'Anye Machin de près de deux mille cinq cents mètres — puisse être également un concurrent ?

A la première question, il est possible de répondre : peut-être, mais aussi : peut-être pas. En ce qui concerne la seconde, il est nécessaire d'expliquer que, à la différence de l'Anye Machin, l'Everest aussi bien que le K2 (dont les géographes britanniques firent l'étude pour la première fois en 1856, lui attribuant, pour de pures raisons pratiques, ce nom que l'usage a conservé) avaient été mesurés et remesurés si souvent par des géodésistes qualifiés que presque tout le monde considérait leur place dans la hiérarchie des montagnes comme immuable.

Toutefois, mesurer une montagne est une tâche redoutablement difficile qui laisse une large place à l'erreur. Comme l'explique Louis Baume dans *Sivalaya* — un recueil de données sur les quatorze plus hautes montagnes : « Le calcul de la hauteur des pics himalayens est d'une telle complexité que même des anges pourvus de théodolites et de fils à plomb ne voudraient pas s'en mêler. »

Quand il veut calculer par la méthode traditionnelle de triangulation la hauteur d'une montagne, un expert utilise un théodolite pour établir l'angle de visée du pic, et cela à partir d'au moins deux endroits dont il connaît l'altitude. Après avoir mesuré la distance entre ces deux stations, il possède les mesures des deux angles et d'un côté d'un triangle imaginaire délimité par le sommet et les deux stations. Il suffit ensuite d'appliquer une formule trigonométrique puis de corriger les résultats afin de tenir compte de la courbure de la Terre, et l'on obtient la hauteur de la montagne.

Laissons de côté pour l'instant la question de savoir comment le chercheur peut connaître l'altitude des deux stations pour examiner quelques-uns des problèmes les plus épineux qu'il lui faut affronter lors de la procédure indiquée plus haut. Par exemple, dans ses mesures, il doit tenir compte de la réfraction atmosphérique et de la déflexion du fil à plomb. Pour le dire en termes simples, la déflexion désigne la tendance de l'immense masse que constitue la chaîne himalayenne à dévier les instruments de mesure en direction des montagnes, de la même façon que la lune agit sur l'amplitude des marées.

Quant au premier phénomène, la réfraction, il désigne la tendance des rayons lumineux — ceux-là mêmes qui transmettent l'image de la montagne à l'oculaire du théodolite — à se courber en franchissant l'atmosphère qui sépare la montagne du géodésiste. Ce qui fait que la montagne semblera plus grande qu'elle ne l'est en réalité. La détermination précise de cette déformation est une variable cruciale mais mouvante car elle dépend de facteurs comme la température et la densité de chacune des couches atmosphériques traversées par la lumière.

Ainsi, entre le lever du soleil et midi, l'atmosphère se réchauffant, son indice de réfraction se modifie. Il en résulte que la mesure de la montagne par triangulation peut varier de plusieurs dizaines de mètres. Et chaque kilomètre séparant le géodésiste de la montagne multiplie l'erreur de manière exponentielle.

Mais ce casse-tête n'est que l'ultime pièce du puzzle. Si vous n'avez pas d'abord assemblé les autres pièces — qui vous fourniront l'altitude des deux stations —, la mesure de la montagne ne sera qu'une perte de temps.

La clé du problème, lorsqu'il s'agit de calculer la hauteur d'un pic par rapport au niveau de la mer, consiste à déterminer exactement, comme le dit fort bien Wallerstein, « où se trouverait la mer si elle venait baigner le pied de la montagne au lieu d'être à des milliers de kilomètres ».

Les stations d'observation à partir desquelles les Britanniques ont mesuré l'Everest étaient situées à plus de mille six cents kilomètres du point de départ de l'étude, établi dans la ville de Madras, sur la côte sud-est de l'Inde. En ce qui concerne le K2, les stations étaient à plus de deux mille sept cents kilomètres de Madras. Avant de mesurer l'une et l'autre montagne, il fallait déterminer l'altitude des deux stations au moyen d'un système complexe composé de milliers de triangulations indépendantes effectuées laborieusement une par une dans tout le sous-continent indien. « Ce genre de travail, dit David Schramm, qui fut directeur du département d'astronomie et d'astrophysique de l'université de Chicago, ressemble à la construction d'un château de cartes. Chaque niveau repose sur le précédent. Si l'un d'eux n'est pas bon, tout ce qui est au-dessus s'effondre. »

Dans son estimation du K2 en 1986, le professeur Wallerstein n'eut pas à élaborer le « château de cartes » qui avait servi de base aux calculs de ses prédécesseurs. Il utilisait pour sa part un instrument ressemblant à une valise et pesant trente-cinq kilos : un récepteur Doppler. Celui dont il disposait avait été conçu pour analyser les ondes radio émises par un réseau de six satellites qui, originellement, avaient été mis sur orbite par la marine américaine pour aider à la navigation des sous-marins. En utilisant de subtiles modifications dans les signaux du satellite passant au-dessus de lui, l'instrument peut établir la latitude, la longitude et l'altitude de tout point sur lequel il se trouve, et cela avec une précision bien supérieure à ce que permet la plus rigoureuse chaîne de triangulations effectuée depuis le bord de la mer. Lorsque dix à douze passages de satellites sont enregistrés et exploités, le récepteur Doppler peut déterminer la position exacte de l'endroit où il se trouve, à un mètre près.

Néanmoins, si ces appareils sont précis, ils sont aussi

d'un prix prohibitif (un bon récepteur peut coûter jusqu'à 400 000 francs) et on les trouve difficilement. Jusque-là, comme personne n'avait lieu de mettre en doute les hauteurs de l'Everest et du K2, ils servaient à des fins plus pratiques : localiser les ressources minières ou un avion accidenté. Mais quand Wallerstein et Lance Owens en découvrirent un d'occasion à un prix intéressant, ils décidèrent d'emporter cet instrument sur le K2, juste pour essayer.

Le 8 juin 1986, qui était un jour clair et frais sur le plateau de Karakorum dans le sud-ouest de la Chine, Wallerstein déploya l'antenne de son récepteur Doppler sur un petit tertre au pied du K2, mit le contact et détermina l'altitude de l'appareil grâce à un satellite qui filait à plus de mille kilomètres au-dessus de lui. Ensuite, ayant obtenu une donnée précise sur le niveau de la base, il procéda à la triangulation avec un théodolite ordinaire depuis différents points environnants qu'il savait avoir été étudiés en 1937 par l'explorateur anglais Michael Spender.

A son retour à Seattle, Wallerstein découvrit à sa grande surprise que les relevés de ces points effectués par Spender indiquaient une altitude inférieure de deux cent soixante-quinze mètres à ses propres mesures. Comme Spender avait réalisé tous ses calculs en s'appuyant sur une hauteur du K2 fixée à 8 611 mètres, Wallerstein en conclut que cette hauteur avait été sous-estimée de deux cent soixante-quinze mètres. Il en découlait donc que le K2 pouvait réellement être plus haut que l'Everest.

Parvenu à ce stade, Wallerstein — qui est un astronome distingué et un savant consciencieux mais n'a que peu d'expérience en géodésie — insista sur le fait que, en raison du caractère limité de son étude, il ne prétendait pas que le K2 *était* plus haut que l'Everest, mais seulement que c'était une possibilité. L'expédition à laquelle participait Wallerstein avait pour objet principal de faire l'ascension du K2 et non de le mesurer (la cordée parvint à 8 077 mètres mais fut obligée de renoncer à aller plus haut à cause d'une tempête qui, sur l'autre versant de la montagne, causa la mort de treize personnes). C'est pourquoi l'essentiel du temps que Wallerstein passa en Chine fut consacré au transport de charges de nourriture et d'instruments d'escalade sur les premières étapes du massif. Ces obligations accomplies, il ne lui restait que peu de jours pour son étude.

Chose plus grave, le chargeur solaire sur lequel il comptait pour recharger les batteries qui alimentent en courant le récepteur Doppler refusa de fonctionner. En conséquence, un seul passage de satellite fut enregistré, après quoi les batteries s'épuisèrent. Bien que les trente-deux données que capta le récepteur fussent parfaitement claires, leur précision ne put être confirmée, faute de passages ultérieurs.

Malgré ces déconvenues et les mises en garde de Wallerstein sur la nature spéculative de sa révision à la hausse de la hauteur du K2, la nouvelle selon laquelle ce pic pouvait dépasser l'Everest fit sensation, surtout en Italie. Juste après la diffusion de cette information dans le magazine *Outside* et simultanément dans le *New York Times*, Wallerstein fut assailli de demandes d'interviews de la part des télévisions et des journaux italiens. En plus des Italiens, beaucoup d'alpinistes un peu partout dans le monde (à l'exception peut-être de ceux qui avaient escaladé l'Everest) mettaient de grands espoirs dans le K2, ayant le sentiment que cette montagne, qui est à la fois plus belle et plus difficile, *méritait* d'être la plus haute. Néanmoins, dans tout ce vacarme, Bradford Washburn — qui avait joué un rôle clé dans le dégonflage de l'affaire Anye Machin — fit savoir avec insistance que, quand toute cette poussière serait retombée, le mont Everest serait toujours le plus grand. Sinon ? « Eh bien, ajouta l'éminent géodésiste, dans ce cas, je pense que ça pourrait faire quelque chose à Edmund Hillary. »

Moins d'une semaine après que les travaux de Wallerstein eurent été rendus publics, plusieurs équipes firent connaître leur intention de mettre une fois pour toutes un terme à la controverse en refaisant des mesures du K2 et de l'Everest au moyen d'un récepteur Doppler. La première expédition à revenir en possession de résultats fut, ironie du sort, italienne. Elle était dirigée par Ardito Desio, celui-là même qui avait conduit la première ascension du K2 en 1954. Ayant très soigneusement enregistré les données fournies par les satellites, à la fois au pied de l'Everest et du K2 — et sans céder à la tentation, qui devait être forte, de les infléchir au profit du K2 —, Desio annonça ses conclusions le 6 octobre 1987 : Everest, 8 872 mètres ; K2, 8 616 mètres.

Hillary et Tenzing poussèrent sans aucun doute un soupir de soulagement.

10

LES FRÈRES BURGESS

Le printemps devrait déjà être arrivé sur la Front Range, dans le Colorado, mais le ciel demeure bas et une brise glacée traverse le canyon Eldorado. Adrian Burgess, un Anglais de trente-neuf ans qui habite Boulder, monte la paroi de grès rouge qu'on appelle « C'est la Vie[1] ». Quarante mètres plus haut, il s'arrête sur une corniche en pente, amarre sa corde à une paire de coinceurs et assure ses trois compagnons, un par un, jusqu'à sa position. Le dernier de ces grimpeurs est Alan, le frère jumeau d'Adrian.

Alors qu'Alan arrive à ce promontoire exposé, le vent se lève soudainement et une bourrasque commence à saupoudrer la vire de neige. Alan scrute les prises minuscules qui font saillie sur l'étape suivante, puis regarde Adrian et dit : « C'est à peu près l'heure où le Bustop doit ouvrir, non ? »

Le Bustop est un bar qui a les faveurs d'Alan quand il se trouve à Boulder pour rendre visite à Adrian entre les expéditions himalayennes qui rythment la vie des jumeaux depuis neuf ans. Alan apprécie le Bustop, dit-il, parce qu'il se trouve tout près de chez Adrian. Que

1. En français dans le texte. *(N.d.T.)*

le bar offre deux bières pour un dollar en début de soirée et qu'il soit une boîte de strip-tease doit aussi y être pour quelque chose.

Après avoir quitté les parois de l'Eldorado, l'équipe Burgess roule avec élégance jusqu'à l'entrée du Bustop dans une vieille caisse rouillée — le bien le plus précieux d'Adrian — dont le pare-chocs porte un autocollant proclamant : « Dès qu'il a de l'argent, l'imbécile fait la fête. » A l'intérieur des salles caverneuses à l'éclairage tamisé, la plupart des danseuses semblent connaître Alan ; plusieurs d'entre elles lui sourient chaleureusement et le saluent par son nom pendant qu'il se dirige vers une table près de la scène. Notre serveuse, qui se nomme Susan, a fait la connaissance d'Alan à Pheriche, un village sherpa en altitude sur le chemin de randonnée qui mène au mont Everest. Nulle part ailleurs qu'à Boulder, me semble-t-il, on ne peut rencontrer des strip-teaseuses qui passent leurs vacances à faire de la randonnée au Népal.

Quand nous nous asseyons, Adrian paraît mal à l'aise. « C'est Lorna, me dit Alan à voix basse, Adrian n'est pas censé venir ici. » Lorna est la femme d'Adrian depuis sept ans. Elle appartient à une famille aisée et l'un de ses oncles est membre du Congrès. Dès que l'occasion se présente, Alan glisse subrepticement une des pochettes d'allumettes du Bustop dans le manteau d'Adrian, au cas peu probable où Lorna pourrait l'y trouver et demander une explication. « Faut aider le bonhomme à rester debout », murmure Alan avec un sourire méchant.

Heureusement, Adrian est un virtuose pour rester debout, tout comme Alan d'ailleurs. Mais il est vrai que quand on est allergique au travail, qu'on subsiste grâce à son charme et à de petites escroqueries occasionnelles, et quand on passe une grande partie de l'année à tromper la mort sur le toit du monde, on acquiert une expérience qui permet de se tirer de toutes sortes de situations.

Les jumeaux Burgess occupent un créneau unique dans l'alpinisme contemporain. Dans un domaine qui en est venu à être dominé par des Français, des Allemands et des Autrichiens menant une vie saine, durs à l'entraînement, soucieux de leur image, qui posent dans des publicités pour Alfa Romeo et prêtent leurs noms à des collections de vêtements chics, les jumeaux demeurent des piliers de bistrots et des fêtards toujours dans le collimateur des autorités. Ils sont parmi les derniers représentants d'une race d'alpinistes issue de la classe ouvrière britannique pour qui il est aussi important de savoir combien on boit de verres et avec qui on se bat que de savoir quelle montagne on escalade. Bien que leurs noms ne disent absolument rien à la plupart des gens, à l'intérieur du cercle fermé de cette petite société cosmopolite dont l'obsession est de chercher des voies de plus en plus difficiles sur des montagnes de plus en plus hautes, les frères Burgess figurent parmi les étoiles les plus brillantes.

Grands et secs, avec de longs visages d'Anglais, une peau perpétuellement pâle et des cheveux blonds pas très propres coiffés à la prince Vaillant, Adrian et Alan Burgess auraient pu jouer de la guitare dans un groupe de rock britannique des années soixante — comme les Animals, ou bien les Who. Ils sont nés et ont été élevés dans le village ouvrier de Holmfirth, aux abords des vastes landes du Yorkshire. Ce sont ces mêmes étendues vides et inquiétantes qui donnèrent naissance aux romans des sœurs Brontë. Dans le cas des frères Burgess, les randonnées de leur jeunesse à travers les landes les mirent en rapport avec d'intrépides alpinistes anglais du Nord. Ces grimpeurs plus âgés qu'eux emplirent leurs jeunes têtes impressionnables des exploits audacieux et des actions extraordinaires de Don Whillans, Joe Brown, et autres héros aimant bien boire, ce qui fixa de façon irrévocable le cours de la vie des Burgess.

Les jumeaux commencèrent l'escalade à l'âge de quatorze ans, et immédiatement ce sport prit pour eux la forme d'une revanche. C'est à dix-sept ans qu'ils allèrent pour la première fois dans les Alpes. Très rapidement, ils mirent à leur actif les voies les plus impressionnantes de Chamonix et des Dolomites; ils avaient entendu leurs aînés décrire longuement des ascensions comme celles des Droites ou du Freney, et ils s'imaginaient que gravir coûte que coûte les grandes faces nord était la norme sur le Continent. Quand ils eurent vingt-quatre ans, en 1973, ils élargirent leur horizon en se rendant en Inde au volant d'une vieille camionnette. Là-bas, ils trouvèrent une voie nouvelle sur un pic himalayen de 5 486 mètres, l'Ali Rattna Tibba.

Durant la première moitié des années soixante-dix, ils travaillèrent de façon irrégulière dans le racket naissant de l'éducation au grand air, animant des escapades hors des sentiers battus pour délinquants juvéniles. « C'était ce que vous les Américains vous appelleriez des programmes "banlieues dans les bois", m'explique Adrian, seulement dans notre cas, c'était la banlieue qui emmenait la banlieue dans les bois. »

Les jumeaux partirent pour le Canada au milieu des années soixante-dix. Ils se firent embaucher dans le bâtiment à Calgary en se présentant comme charpentiers hautement qualifiés, alors qu'en vérité leur connaissance de la construction se résumait à ce qu'ils avaient glané la veille dans un livre à la bibliothèque. C'est également au Canada qu'Alan obtint le statut d'immigré, avec les droits et avantages attenants, en se proclamant mécanicien spécialiste de Volkswagen, une aptitude qu'apparemment personne d'autre ne possédait dans la ville. Toutefois, travailler, même en extérieur, se révéla nettement moins amusant que l'alpinisme, aussi les Burgess décidèrent-ils qu'ils pouvaient s'en passer. Excepté quelques écarts temporaires, les jumeaux sont fiers de souligner qu'ils n'ont pas exercé de travail honnête depuis 1975.

C'est cette année-là qu'ils commencèrent à arpenter la planète sérieusement, faisant la tournée des bars et se battant dans la plus grande tradition de Whillans. Ils furent arrêtés dans quatre pays, et sermonnés dans beaucoup d'autres. A Lima, au Pérou, ils provoquèrent une bataille mémorable dans un bordel après avoir accusé la maison de publicité mensongère. A Talkeetna, en Alaska, les habitants gardent le souvenir irrité du soir où les Burgess et six de leurs copains anglais s'enfuirent avec trente caisses de bière du bar Fairview et échappèrent de peu à la prison.

Au cours de leurs voyages, les jumeaux engrangèrent une succession de courses difficiles, du Fitzroy au McKinley, du Huascaran aux Howser Towers, des Droites au Logan et aux Grandes Jorasses. «Notre vie est devenue une longue suite de voyages, observe Al avec un air d'incrédulité, il y en a eu tellement que c'est parfois dur de les distinguer.»

La série d'escalades effectuées par les Burgess finit par être remarquée au sein de la communauté alpine britannique. En fait, dès 1975, Chris Bonington pensa les inviter à son expédition historique sur la face sud-ouest de l'Everest — une route considérée comme «la plus dure sur la plus haute montagne du monde». L'expédition permit finalement à Dougal Haston et Doug Scott de parvenir au sommet, et les jumeaux ne se joignirent jamais à l'équipe, sans doute, estime Alan, «parce que nous avions la réputation d'être parfois un peu indisciplinés, et que Bonington, très porté sur les médias, ne voulait pas que quelqu'un lui pique la vedette».

Quand les frères Burgess réalisèrent que leur «réputation d'être parfois un peu indisciplinés» pouvait leur interdire toute invitation à une expédition pour un sommet majeur de l'Himalaya, ils décidèrent de prendre les choses en main. En 1979, avec un de leurs amis, Paul Moores, ils se rendirent au Népal pour tenter une ascension audacieuse des 7937 mètres de l'Annapurna II. Ils furent arrêtés à 7010 mètres par des vents soufflant en tornade, mais l'air raréfié de l'Himalaya ne fit qu'aiguiser leur appétit. Depuis, ils sont retournés chaque année dans l'Himalaya ou au Karakoram.

L'automne dernier, ce fut le Lhotse — le voisin le plus proche du mont Everest et la quatrième plus haute montagne du monde — qui retint l'attention des jumeaux. Il s'avéra que 1987 n'était pas une bonne année pour faire de l'alpinisme dans l'Himalaya. Des orages s'abattirent sur la chaîne si violemment et à une telle fréquence que pas un seul alpiniste ne parvint au sommet du K2 ni à celui de l'Everest. C'était la première fois en seize ans que la cime de ce dernier n'était pas atteinte. On comprend donc que les jumeaux aient été soulagés, à mi-chemin du sommet du Lhotse, quand le 27 septembre se termina par un crépuscule clair et prometteur au-dessus de la région du Khumbu, au Népal.

Alan ouvrait la voie en haut du pilier sud-est du Lhotse, suivi dans la cordée par Adrian et une connaissance du Colorado, Dick Jackson. La grande quantité de neige fraîche sur la cime fit sérieusement réfléchir l'équipe sur le danger d'avalanches, mais la pente paraissait suffisamment solide pour être rassurante sous un manteau de poudreuse profond jusqu'au genou; avec une douzaine d'expéditions dans l'Himalaya à son actif, Alan pensait qu'il pouvait dire quand une pente était sûre et quand elle ne l'était pas. En outre, il semblait important de profiter du temps dégagé dans une saison où il avait été si rare.

A 7 000 mètres, la voie serpentait parmi une série de falaises de glace. Après l'un de ces séracs posés sur un sol facile, Alan avait pris la tête, tranquillement assuré d'en dessous par son frère, quand ses rêves hypoxiques furent interrompus par un bruit profond et sourd. En levant les yeux, Alan aperçut la déchirure irrégulière d'une ligne de fracture dans la pente. Une immense plaque de neige assemblée par le vent, épaisse d'un mètre cinquante et large de quarante-cinq mètres, commençait à se déplacer juste au-dessus de sa position.

Pendant un instant, la plaque sembla bouger au ralenti, mais alors qu'elle se libérait de ses dernières fragiles accroches et glissait vers la vallée, mille six cents mètres plus bas, la masse de neige commença à atteindre une vitesse alarmante. Après avoir descendu douze mètres, le bord avant de la plaque heurta brutalement le torse d'Alan.

«J'ai essayé de me hisser dessus, se souvient-il, mais il n'y avait rien à faire, je suis passé dessous, et puis ce fut le noir, et tout ce qui me venait à l'esprit c'était : “Merde, c'est donc ça qu'on ressent quand on meurt...”

« Mais après peut-être trois secondes, continue Alan, j'ai soudainement resurgi à la surface, la tête vers le bas de la pente, enfoncé dans l'avalanche jusqu'à la taille, avec toute cette lourde neige qui me tirait par les jambes. Instinctivement, j'ai rejeté ma tête en arrière, je me suis courbé comme un arc, et tout a glissé sous moi. »

Néanmoins, c'était sauter de la poêle pour tomber dans le feu : l'avalanche avait à ce moment-là englouti ses compagnons de cordée et les emportait rapidement jusqu'au rebord d'un précipice de soixante mètres de profondeur. Alan eut juste le temps de planter son piolet et d'enfoncer ses talons dans la neige avant que la corde le liant à Adrian et Jackson ne le tire brusquement par la taille, menaçant de le faire basculer une nouvelle fois sur la pente du Lhotse.

Le poids de ses partenaires tendait la corde telle une corde de piano. Le point d'ancrage d'Alan n'allait pas tarder à céder mais son assurage improvisé permit à Jackson et Adrian de remonter jusqu'à la surface de la neige, laissant l'avalanche filer sous eux. Quand Alan arrêta finalement leur chute, Jackson et Adrian étaient à trois mètres seulement du précipice.

L'après-midi suivant, pendant qu'ils récupéraient au camp de base, ils remarquèrent un lammergeier — une espèce de vautour tibétain avec une envergure de deux mètres soixante-quinze — qui tournait en rond dans les courants ascendants au-dessus d'eux. C'était surprenant, car les lammergeiers ne se montrent jamais à moins qu'il n'y ait un yack mort ou une autre charogne dans le voisinage, et il n'y avait aucune raison pour qu'un yack soit dans les parages. L'énigme fut résolue le lendemain, quand les jumeaux accompagnèrent le médecin d'une expédition espagnole au pied de la montagne pour rechercher quatre de ses camarades qui n'étaient pas rentrés. Ils tombèrent sur des fragments de matériel d'escalade éparpillés sur le passage d'une grosse avalanche.

Les Espagnols manquants avaient tenté d'escalader le Lhotse par une route adjacente à celle prise par les Burgess et Jackson et ils avaient été pris dans une avalanche similaire, le même matin. Les alpinistes espagnols, toutefois, n'avaient pas eu autant de chance : tous les quatre étaient morts, balayés sur mille huit cents mètres. Une recherche approfondie sur la zone fit apparaître les corps mutilés de deux des victimes. Alan et Adrian aidèrent le médecin à les enterrer. « Mon vieux, se souvient Adrian avec un frisson, c'était un boulot horrible. » Néanmoins, ce n'était pas la première fois que les jumeaux l'accomplissaient.

Tout alpiniste qui porte ses vues sur les hauteurs de l'Himalaya a de fortes chances d'être témoin d'une disparition prématurée ; pour ceux qui tentent des pics de 8 000 mètres avec la fréquence des frères Burgess, c'est statistiquement inévitable. Ils étaient tous deux présents en 1982 — Alan en tant que membre d'une grosse expédition canadienne sur l'Everest, Adrian avec une petite équipe néo-zélandaise faisant une tentative sur le Lhotse par la face ouest — quand une avalanche dans la célèbre cascade de glace du Khumbu puis l'effondrement d'un sérac entraînèrent cinq de leurs coéquipiers dans la mort. Les jumeaux étaient également sur le K2 au cours de cet affreux été 1986 où la montagne tua pas moins de treize hommes et femmes, y compris le chef de leur expédition, le fameux alpiniste anglais Alan Rouse, que ses compagnons (parmi lesquels les jumeaux ne figuraient pas) furent contraints d'abandonner, comateux mais toujours vivant, dans une tente à 7 925 mètres afin de sauver leurs propres vies.

D'après Adrian, plus de la moitié de leurs camarades d'escalade ont, comme il le dit, « subi la hache », la plupart dans l'Himalaya. Mais si les implications de ce sinistre décompte inquiètent les frères Burgess, cela ne se voit pas. Affronter le risque, marcher sur le fil, grimper toujours au bord de l'abîme, c'est ce qu'a toujours fait l'avant-garde de l'alpinisme. Ceux qui choisissent ce passe-temps dangereux ne le font pas malgré les risques, mais justement à cause d'eux.

Même après que l'affaire des morts espagnols eut souligné le danger qu'ils avaient couru, les jumeaux n'envisagèrent pas d'abandonner leur projet initial d'escalader le pilier sud-est du Lhotse, de traverser sa longue arête sommitale spectaculairement découpée en dents de scie, de descendre le côté ouest du pic et enfin, de se frayer un passage sur la cascade de glace du Khumbu afin d'atteindre la base de la montagne. Alan parvint même à se convaincre que le fait d'avoir frôlé la mort avait accru leurs chances en les incitant à être plus prudents.

Une semaine après les avalanches, les jumeaux, Dick Jackson et un autre gars du Colorado, Joe Frank, retournèrent sur le pic, mais ils furent arrêtés à 6 614 mètres par des risques d'avalanches encore plus grands. Néanmoins, les frères Burgess n'étaient toujours pas prêts à renoncer à la montagne. Ils se dirent que la voie qui avait tué les Espagnols paraissait plus sûre que la leur. Alors Alan partit pour le village de Namche Bazar afin que leurs permis d'escalade soient modifiés en faveur de la route espagnole.

« Pendant qu'Al était en bas à Namche, dit Adrian, un énorme orage éclata sur l'Himalaya, le plus gros de toute cette foutue année. Il a déposé plus d'un mètre vingt de neige en trente-six heures. » Pendant la seconde nuit d'orage, Adrian était allongé dans sa tente au camp de base quand l'arrière du robuste dôme s'écroula, écrasé par une masse de neige. Incapable d'atteindre la porte, Adrian se fraya un chemin vers l'extérieur, où il découvrit qu'une petite avalanche — juste une mince couche en réalité — avait glissé sans bruit sur le versant qui dominait le camp, broyé la moitié de son abri, et s'était arrêtée à trente centimètres de lui. La tente de son frère, quelques mètres plus loin, était complètement ensevelie sous un mètre quatre-vingts de débris d'avalanche semblables à du ciment. « Si Al avait été là cette nuit, affirme gravement Adrian, il n'y a aucun doute sur ce qui se serait passé. »

Le lendemain matin, Adrian partit retrouver Alan à Namche. Il lui fallut marcher dans une épaisseur de neige qui lui montait jusqu'à la poitrine ; il mit deux heures pour faire les mille cinq cents premiers mètres, une distance qu'il parcourait normalement en quinze minutes. Un peu plus loin, en dessous de l'Island Peak, Adrian parvint au camp de base de l'expédition de la Royal Air Force. « Il paraissait avoir été touché par une bombe, dit-il. La moitié des tentes étaient à plat, deux corps étaient allongés à côté, tout ce qui apparaissait d'un autre corps était une main gelée qui dépassait de la neige. Les survivants ont dit qu'il y avait un quatrième cadavre enterré quelque part, ils ne savaient pas où, et qu'un porteur tamang était devenu fou après l'avalanche ; il avait arraché tous ses vêtements et s'était mis à courir dans la nuit. Tout ce que je pouvais penser, c'était : "Bon sang, est-ce que tout ça est vrai ?" »

Le porteur nu fut finalement retrouvé, atteint de gelures et en état d'hypothermie, mais vivant. Adrian le hissa sur son dos et se dirigea vers Chhukun, le campement le plus proche, distant de onze kilomètres. A mi-chemin apparut Alan, qui remontait. « Salut, jeune homme, lui dit Adrian, content de te voir. Faisons donc faire un tour à cet emmerdeur. » Les frères descendirent en courant le chemin qui conduisait à Chhukun, portant à tour de rôle le blessé. Ils réussirent à atteindre le village à temps pour le sauver.

Les Burgess furent finalement contraints de renoncer à leur expédition sur le Lhotse. Mais avant même qu'ils soient retournés à Katmandou, ils concevaient des plans afin de réunir de l'argent pour une expédition sur le K2 l'été suivant ; l'un de ces plans consistait à convaincre le *National Enquirer* qu'Alan Rouse pouvait être toujours en vie après avoir passé deux ans dans une tente à 7 925 mètres (personne n'était retourné sur les hauteurs du K2 depuis que Rouse y avait été abandonné en août 1986). Les jumeaux reviendraient avec un récit décrivant la façon dont il avait survécu en mangeant ses compagnons morts, et ils demanderaient à l'*Enquirer* une modeste compensation — disons dix ou vingt mille dollars.

Comme on s'en doute, le projet n'aboutit pas, mais les jumeaux parvinrent malgré tout à se rendre au Karakoram. Ils installèrent un camp de base fin mai au pied du K2 ; pendant que j'écris ceci — si tout se passe comme le prévoit leur plan —, les frères Burgess devraient être sur le point d'arriver au sommet.

Mais il se peut que ce ne soit pas le cas. En examinant leur passé d'alpinistes, on est frappé par le nombre de fois où le succès leur a échappé dans l'Himalaya : les jumeaux ont échoué sur l'Annapurna II, le Nanga Parbat, l'Ama Dablam, l'Everest (deux fois pour Alan, une fois pour Adrian), le Lhotse (trois fois pour Adrian, deux fois pour Alan), le Cho Oyu (deux fois pour Alan) et le K2 ; les seuls pics himalayens dont ils ont réellement vu les sommets sont, en fait, l'Annapurna IV (7 525 mètres) et le Dhaulagiri (8 167 mètres). Si les alpinistes notaient leurs taux de succès, Adrian atteindrait péniblement 20 % dans la région himalayenne, Alan un petit 16,7 %.

Ces chiffres peu impressionnants peuvent s'expliquer au moins en partie par l'habitude des jumeaux de chercher des voies particulièrement difficiles avec de toutes petites équipes, et en beaucoup d'occasions de rendre ces voies encore plus difficiles en tentant de les gravir dans les vents hurlants et le froid inimaginable de l'hiver himalayen. Paradoxalement, ils attribuent la rareté de grands sommets dans leur palmarès à leur « nature prudente ». Alan insiste sur le fait suivant : « Parmi les alpinistes anglais, nous avons toujours eu la réputation d'être précautionneux, de ne pas trop jouer avec le feu. C'est pourquoi nous sommes toujours vivants, je suppose, alors que beaucoup d'entre eux ne le sont plus. »

Bien que les jumeaux concèdent que la chance joue un grand rôle dans la survie sur l'Himalaya, ils avancent également que la grande majorité des accidents en montagne sont évitables. « Nous estimons, dit Adrian, que la plupart des tragédies ont lieu parce que les alpinistes commettent des erreurs. Bien sûr, nous sommes capables de commettre des erreurs, nous aussi, mais si on fait bien attention et qu'on ne grimpe pas pour de mauvaises raisons, on n'en commettra pas autant qu'eux. »

Alan prétend que les fins prématurées de ses deux plus proches amis, Al Rouse et Roger Marshall (qui, en 1985, fit une chute en tentant d'escalader seul la face nord de l'Everest), sont de parfaits exemples de ce qui peut arriver quand on grimpe pour de mauvaises raisons. « Roger et Rouse, explique Alan, sont morts tous les deux parce qu'ils essayaient de se dépasser pour répondre à une pression extérieure. La situation de Rouse en Angleterre était un tel bazar — la femme qu'il aimait l'avait quitté, et une femme qu'il n'aimait pas allait avoir un enfant de lui — que l'idée de rentrer chez lui sans avoir atteint le sommet lui était insupportable. Quant à Roger, il subissait une pression financière extrême ; il devait parvenir au sommet de l'Everest pour écrire un livre à succès et payer des crédits suspendus au-dessus de sa tête qui l'obligeaient à rester avec sa femme et sa famille dont il cherchait à se libérer. C'est suffisamment dur de prendre les bonnes décisions à haute altitude sans avoir en plus ce genre de pressions qui obscurcissent le jugement. »

Si la prudence et le sens de la montagne paraissent avoir contribué aux échecs des jumeaux, ceux qui les critiquent — et ils sont nombreux — sont prompts à mentionner d'autres raisons, moins à leur avantage, qui expliquent la fréquence de leurs défaites. Même les détracteurs les plus prolixes des frères Burgess admettent à contrecœur que les jumeaux sont exceptionnellement résistants à haute altitude — qu'ils semblent, en réalité, être aussi à l'aise qu'aucun autre alpiniste dans l'air glacé et rare des altitudes extrêmes, connues sous le nom de « Zone de la mort ». Mais Gordon Smith, un de leurs anciens amis de Calgary, qui les a accompagnés sur l'Annapurna IV, l'Everest et le Manaslu, maintient que leur aisance, leur façon d'agir comme s'ils se disaient « Quoi, moi m'inquiéter ? », ne fonctionne plus sur des pics de 8 000 mètres. « Pour escalader une très haute montagne, il ne suffit pas de mettre un pied devant l'autre, déclare Smith d'une voix neutre, et les jumeaux n'ont aucune idée de la manière d'organiser une expédition. D'une façon ou d'une autre, il y a toujours quelque chose qui va de travers à chacun de leurs périples himalayens. »

Si on se réfère à Smith, durant l'expédition au Manaslu, le manque d'envergure des jumeaux a abouti à des déficiences graves sur du matériel important, comme les piquets de neige. Pendant la même expédition, un groupe de randonneurs qui, en arrivant sur la montagne, avaient payé de grosses sommes pour avoir le privilège d'accompagner les alpinistes jusqu'au premier camp refusèrent brusquement de donner suite quand Alan se montra impatient avec les novices. Smith estime que les défauts des jumeaux en tant que chefs d'expéditions viennent pour une part de leur désir d'en faire trop. « C'est très difficile, explique-t-il, de se mobiliser toute la journée pour faire avancer les choses, et ensuite d'avoir assez d'énergie le soir pour bien surveiller la logistique de l'expédition. »

Mais les critiques de Smith vont plus loin que les seuls talents d'organisateurs des jumeaux. « Ils savent se faire charmeurs quand ça les arrange, continue-t-il amèrement, mais en fait ce sont simplement deux baratineurs. Ils semblent se moquer du nombre d'ennemis qu'ils se font ; et quand ils sont pris en défaut, ils changent d'amis et repartent sur de nouvelles bases. » Si le peu d'affection que Smith leur porte est visible, cela n'est sans doute pas sans rapport avec leur dernière expédition commune — la tentative avortée sur le Manaslu en 1983 — qui, à cause d'un désaccord sur la façon dont Alan a géré les finances du groupe, s'est terminée par un combat à mains nues dans les rues de Katmandou.

Allez à Chamonix, ou à Llanberis, ou dans les maisons chang du Khumbu, et vous constaterez qu'il y a toujours une histoire sur les Burgess, sur leur goût pour la bagarre et leurs arnaques impudentes. « Où que vous soyez au Népal, dit le médecin alpiniste Geoffrey Tabin, aussitôt que les gens du coin voient que vous êtes un Occidental, ils vous demandent sur un ton d'excitation : "Vous connaissez Burgess ? Vous connaissez Burgess ?" Ces gars se sont fait une réputation sur les quatre continents ; les escapades sexuelles d'Alan pourraient remplir à elles seules plusieurs volumes du courrier des lecteurs de *Penthouse.* »

Un des plus récents chapitres de la légende des Burgess est né dans l'ambiance étrange et les vives lumières de Las Vegas, pendant la foire commerciale annuelle de la ville. Les jumeaux étaient là, liant contact avec de gros bonnets de l'industrie pour obtenir le financement et l'équipement de leur expédition sur le Lhotse. Après une dure journée de discussions, ils firent la tournée des boîtes qu'ils connaissaient, ce qui permit à Alan de rencontrer une indigène sympathique qui l'invita à passer la nuit avec elle.

Adrian, Alan et sa nouvelle amie roulaient sur le Strip dans la vieille camionnette d'Adrian, en route vers son hôtel, quand une voiture surbaissée, remplie de cow-boys de Las Vegas, se rangea à leur côté à un feu rouge. Adrian, pour dire quelque chose, exhiba la bière qu'il buvait à petites gorgées et cria par la portière avec son meilleur accent du Yorkshire : « Cette bière américaine a le goût de la pisse ! »

Au feu rouge suivant, la voiture surbaissée se rangea à nouveau le long de la camionnette des jumeaux, et deux cow-boys en sortirent d'un bond. Adrian sortit également et, en fervent adepte de l'assaut préventif, donna immédiatement un coup de poing à l'un des cow-boys. Mais comme il était complètement saoul, il perdit l'équilibre et tomba sur la figure avant que le cow-boy ait pu riposter. Alan, voyant son frère sur le bitume et croyant qu'il avait été mis KO, sortit précipitamment et ensanglanta le nez du malheureux cow-boy (à ce moment-là, le second cow-boy s'était déjà réfugié à l'intérieur de la voiture). Alan récupéra Adrian, remonta dans la camionnette et descendit le Strip en faisant rugir le moteur.

Quand ils s'arrêtèrent au feu rouge suivant, la voiture surbaissée se positionna devant les jumeaux d'une manière menaçante, mais aucun des cow-boys n'en sortit. Cela mit Adrian tellement en colère qu'il bondit de la camionnette, escalada l'arrière de la voiture et se mit à sauter à pieds joints sur son toit jusqu'au moment où le feu passa au vert.

Malheureusement pour les cow-boys, les feux n'étaient pas en leur faveur ce soir-là : le prochain sur la route était également rouge. Alan rangea la camionnette derrière la voiture, fit une pause, puis lui rentra carrément dedans. Ensuite, il mit la marche arrière, recula de quelques mètres... et heurta à nouveau la voiture.

Les cow-boys réalisaient à présent qu'ils avaient commis une grave erreur de jugement en s'en prenant aux Burgess. « Au diable le feu rouge ! » se dirent-ils. Ils écrasèrent l'accélérateur... et rentrèrent de plein fouet dans un véhicule qui arrivait. Alan, déçu que le divertissement soit déjà terminé, contourna le métal tordu et le verre brisé, et se mit à rouler doucement le long du Strip, vers l'hôtel d'Adrian.

Peu de temps après, cinq voitures de police encerclèrent la camionnette gyrophares en action et sirènes hurlantes. Alan fut arraché de son siège et plaqué sur le capot. Les policiers disaient qu'ils voulaient lui poser quelques questions au sujet d'une agression commise sur des habitants de la ville, suivie d'un accident avec délit de fuite. Alan expliqua poliment aux policiers qu'ils se trompaient complètement, que son frère et lui, qui étaient en ville pour une négociation internationale importante, étaient les victimes, et non les auteurs, de l'agression. Quant à l'accident, dit Alan, les voyous qui les avaient attaqués étaient entrés en collision avec une autre voiture en tentant de fuir le lieu du crime.

Alan continuant à broder sur ce thème, les agents commencèrent à gober l'histoire. Elle sonnait vrai, pensèrent-ils. Ils appréciaient Alan. Ils aimaient son attitude respectueuse, du genre boy-scout, et son accent comique, qu'ils confondirent avec l'accent australien. Alan leur faisait penser à ce type qu'on voit dans le film *Crocodile Dundee*.

A partir de là, les policiers étaient à la merci de l'Anglais. Très bon film, ce *Crocodile Dundee*, lui dirent-ils, Alan devrait aller en juger par lui-même. Ils poursuivirent en lui disant combien ils étaient sincèrement désolés qu'il se soit fait attaquer dans leur ville d'habitude si tranquille, et qu'ils espéraient qu'il ne jugerait pas les Américains d'après l'attitude de quelques mauvaises graines. Puis ils lui souhaitèrent bonne nuit avec affection.

De tous les épisodes grotesques de la saga Burgess, aucun peut-être ne l'est plus que la rencontre d'Adrian et de Lorna Rogers. Adrian, après tout, est de son propre aveu un adolescent de trente-neuf ans inculte et indigent, alors que Lorna est aussi bien lotie qu'on peut l'être. Sa famille fait partie de l'élite de Denver depuis quatre générations ; son monde est celui des poneys de polo, des rallyes et des country-clubs très fermés, un monde où les enfants sont censés aller dans les bonnes écoles et se marier dans les bonnes familles. Lorna est une avocate belle et volontaire qui a suivi le cursus de la jeune fille de bonne famille dans toute sa splendeur. Elle est allée à l'université de Williams et aime à se détendre en chassant le renard montée sur un pur-sang.

Et puis, en 1981, onze mois après l'avoir rencontré dans le bar Yack et Yeti à Katmandou, elle épousa Adrian Burgess, le mauvais garçon de l'Himalaya.

Quand j'ai demandé à Lorna ce que ça lui faisait d'avoir un mari absent quatre ou cinq mois par an, elle admit qu'elle avait été vraiment malheureuse pendant les deux premières années, ajoutant aussitôt : « Mais maintenant je crois que j'aime ça ; j'aime cette façon d'aller et venir, qui empêche la relation de s'enliser. J'ai un mari et je partage ma vie avec lui, mais j'ai aussi beaucoup de liberté. En fait, l'absence d'Adrian n'est pas pire que la préparation de ces satanées expéditions qui monopolisent toute la maison. »

Adrian s'est amélioré sous l'influence de Lorna. Ainsi, le célèbre vadrouilleur et bagarreur a récemment participé aux chasses au renard familiales, en tenue complète. Sans aucun doute, Whillans a dû se retourner dans sa tombe, mais, selon Adrian : « Ce n'est pas inintéressant, à dire vrai. Monter ces chevaux, c'est comme s'asseoir sur une de ces motos puissantes qui vont où elles veulent et non pas où vous voulez qu'elles aillent. »

Il n'y a pas encore de chasse au renard à l'horizon de l'autre jumeau. Alan demeure un enfant de la rue, un expert de la débrouille, preuve vivante de la remarque bien connue d'Eric Beck selon laquelle : « A chaque extrémité de l'éventail socio-économique, il y a une classe oisive.» «Alan, observe son ex-copain Gordon Smith, n'a aucun moyen d'existence apparent; il ne semble jamais travailler, et pourtant il se débrouille toujours. Je me demande vraiment comment il y arrive, c'est un mystère.»

L'un des moyens qu'il utilise pour y arriver consiste à passer presque tout son temps au Népal avec des amis sherpas, y compris entre les expéditions.

«Je dois passer en moyenne six ou sept mois par an là-bas, dit Alan, ça revient beaucoup moins cher de rester au Népal en vivant avec trois dollars par jour que de reprendre l'avion pour rentrer. Bien sûr, il faut accepter de manger la même chose que les Sherpas, et on finit par se lasser des patates et des lentilles. Ça ne vous permet pas non plus de boire de la bière, il faut se contenter du tord-boyaux local.

«Mais je m'en fiche, poursuit-il. En fait, j'en suis venu à préférer le mode de vie du tiers-monde. Quand je rentre à l'Ouest maintenant, je suis embrouillé par tous les choix qu'il faut faire. On sent vraiment le choc des cultures, la différence entre une culture qui a une certaine profondeur, et une autre qui pense seulement en avoir une. Mon estomac s'est accoutumé aux aliments sherpas, vraiment, ce qui fait que je ne suis plus malade là-bas, mais dès que je reviens ici, à Vancouver ou ailleurs, bang! J'ai la chiasse, la poitrine oppressée, tout le foutu bazar.»

Vivre dans les hauts villages sherpas permet à Alan de grimper illégalement, sans se soucier des permis, des taxes des sommets, ou des officiers de liaison. Durant l'hiver de 1986, par exemple, un ami sherpa et lui se sont glissés au Tibet avec leurs copines sherpas et ont réussi à atteindre en une journée un sommet de 8 000 mètres. «C'est complètement illégal, bien sûr, dit

Alan, mais c'était la plus grande aventure que j'aie vécue dans les huit dernières années; c'était génial. Nous y sommes allés très légers : juste une tente, deux tapis et deux sacs de couchage pour nous quatre. Pendant la randonnée dans les montagnes, nous devions faire attention aux cloches des yacks, et nous dissimuler chaque fois que des commerçants tibétains passaient sur la piste, parce que, s'ils nous avaient vus, ils nous auraient dénoncés au poste de contrôle népalais. »

Au cours des huit ans qu'Alan a passés de façon intermittente dans le district du Khumbu au Népal, il a réussit à établir une relation remarquable avec le peuple sherpa. Parce que peu d'alpinistes occidentaux peuvent atteindre leurs performances dans l'Himalaya, beaucoup de Sherpas méprisent les sahibs en privé. « Ils ont tendance à voir les Occidentaux comme des empotés », affirme Alan. Mais comme lui-même est, pour un Blanc, exceptionnellement fort en altitude et qu'il a appris à porter d'énormes charges avec une bande sur le front, comme un Sherpa, il a gagné à un rare degré leur respect. « En quelque sorte, se vante Alan, ils me considèrent comme un des leurs. »

Cela est dû au moins en partie au fait qu'en juin 1987 une Sherpa de vingt et un ans nommée Nima Diki a donné naissance au fils d'Alan sur un lit de feuilles à une altitude de 4 000 mètres dans le village de Phortse. Alan confesse : « Quand j'ai reçu une lettre d'un ami sherpa me prévenant que Nima Diki avait l'air un peu grosse, je me suis dit : "Oh merde, qu'est-ce que je vais faire ?" Mais, une fois là-bas, j'ai vu le petit bonhomme et j'ai cessé de m'inquiéter. »

Il reste à savoir si l'arrivée de l'enfant, appelé Dawa, mettra enfin un terme à l'adolescence prolongée d'Alan, alors qu'il se prépare à entamer sa cinquième décennie, et le fera entrer dans le monde des adultes responsables. Mais déjà on l'a entendu ruminer sur la question de savoir si Dawa devait aller à l'école à Katmandou ou dans le Khumbu.

Pendant ce temps, Chris Bonington — qui, apparemment, n'est plus préoccupé par la réputation des jumeaux — a récemment invité Adrian et Alan sur une expédition majeure, prévue pour le printemps 1989, afin de tenter la seule voie importante du mont Everest qui n'ait encore jamais été escaladée : la fameuse arête nord-ouest, où Joe Tasker et Peter Boardman, deux des meilleurs ascensionnistes himalayens d'Angleterre, ont disparu en 1982. Comme l'expédition de 1989 sera représentative de l'extravagance de Bonington — impliquant seize alpinistes occidentaux, trente Sherpas, une diffusion télévisée en direct, un équipement important, de l'oxygène en bouteille — et qu'Adrian et Alan ont eu tous deux des expériences déplaisantes avec des équipes importantes et à gros budgets, les jumeaux ont poliment décliné l'invitation.

Après avoir participé à la malheureuse expédition d'Alan Rouse sur le K2 en 1986, dit Adrian, « nous avons décidé, définitivement, qu'à partir de ce moment nous ne ferions de l'alpinisme qu'ensemble, et plus jamais avec une grosse équipe ». Sur le K2, à cause de la logistique complexe de l'expédition, les Burgess ne participèrent quasiment jamais aux cordées et en furent profondément mécontents.

Les Sherpas croient que les vrais jumeaux — qu'ils appellent des *zongly* — sont dotés d'une chance exceptionnelle. Chanceux ou non, la puissance du lien entre les jumeaux est incontestable. Leur relation possède une intimité qui est parfois flagrante. « Un frère jumeau, dit Adrian, on sait toujours ce qu'il pense, ce qu'il va faire. Il y a cette immense confiance : on ne pourrait mentir à son jumeau, même si on le voulait. Il s'en apercevrait tout de suite. Mais sur une grande expédition, à cause de toute l'organisation, on ne contrôle jamais complètement sa propre ascension. Quelqu'un au camp de base décide avec qui vous grimpez, quand vous devez monter, quand vous devez descendre. Et ça c'est dangereux.»

Adrian est persuadé que l'expédition à venir de Bonington sur l'Everest sera particulièrement risquée à cet égard. «A cause de tout l'argent dépensé, explique-t-il, et de l'implication directe des médias, il va y avoir un battage comme il n'est pas permis. Et, bien entendu, les alpinistes vont se laisser influencer par cette publicité et adopter une mentalité de fonceurs. Personnellement, je pense que quelqu'un va mourir.»

Ce quelqu'un, remarque Adrian, pourrait trop facilement être l'un des Burgess s'ils accompagnaient l'expédition. «J'ai appris à accepter la mort comme faisant partie de la vie en montagne, confie Adrian. J'ai même appris à l'accepter quand elle atteint des amis proches. Mais je crois que je ne pourrais pas supporter qu'Al meure; non, je ne pourrais pas accepter cela.»

Il est probable que la fierté, autant que la prudence, a joué un rôle dans leur décision de ne pas rejoindre Bonington. En 1982, à l'Everest, selon tous les témoignages, Alan Burgess a plus fait pour que l'ascension soit une réussite — en préparant la route, en donnant l'exemple, en transportant des charges — que n'importe quel autre membre de l'équipe, bien qu'un mauvais emploi du temps et un masque à oxygène défaillant l'aient empêché d'aller au sommet. En soi, cela aurait pu ne pas le gêner outre mesure, s'il n'avait vu la gloire et la manne financière revenir presque exclusivement à ceux qui avaient atteint la cime.

Selon Gordon Smith, qui a fait également plus que sa part de travail sur l'Everest mais n'est pas allé au sommet : « Quand nous sommes repartis du camp de base après l'ascension, les huit alpinistes étaient toujours amis. Puis nous sommes arrivés à Katmandou, et les médias ont commencé à nous diviser en gagnants et perdants. Les gars qui sont allés au sommet, les gagnants, ont reçu toute la reconnaissance — et pas mal d'argent également, des contrats publicitaires notamment. Les autres sont retournés chez eux sans travail, ni argent, ni récompense. On en vient à penser : "Bon Dieu, j'ai fait bien plus de boulot que le type qui est parvenu au sommet. Y a-t-il une justice dans tout ça ?" »

Alors, la question de savoir si les jumeaux iraient sur l'Everest en 1989 était résolue avant même d'avoir été posée, ou en tout cas le semblait. Pourtant, quelques jours après qu'Alan fut parti pour le K2, j'ai reçu une carte postale de lui. Il avait changé d'avis, disait-il, et avait décidé, tout bien réfléchi, d'accompagner Bonington sur l'Everest, bien qu'Adrian demeurât inflexible dans sa résolution de ne pas y aller. Puisque j'avais récemment écouté les deux frères s'étendre sur les aspects négatifs des méga-expéditions en général, et de cette expédition en particulier, j'ai appelé Adrian afin de connaître la vérité.

« Al a toujours eu tendance à rationaliser, suggéra Adrian, et maintenant il se dit que la voie est bien plus difficile que ce qu'il a d'abord cru, et que par conséquent cela justifie l'utilisation d'oxygène et de cordes fixes, et une grande équipe et toutes ces bêtises. Mais je crois que la véritable raison qui l'a poussé soudainement à y aller c'est qu'en fait cela signifie trois repas gratuits par jour et un endroit où se sentir chez soi. »

Un long, un étrange silence s'ensuivit et finalement Adrian ajouta : « Mais c'est mon frère, non ? »

11

UN ÉTÉ DE CHIEN AU K2[1]

Dans la région la plus septentrionale du Pakistan, au cœur de la chaîne de Karakoram, se trouve une langue de glace de soixante-cinq kilomètres couverte de débris qui s'appelle le glacier Baltoro, au-dessus duquel s'élancent six des dix-sept plus hautes montagnes de la planète. En juin 1986, cent cinquante tentes plantées en haut du Baltoro hébergeaient des expéditions de dix nationalités. Les hommes et les femmes qui séjournaient dans ces tentes avaient le regard braqué sur un unique sommet : le K2. Parmi eux figuraient quelques-uns des ascensionnistes les plus ambitieux et les plus réputés de la communauté alpine.

Culminant à 8 611 mètres, le K2 est inférieur au mont Everest de 237 mètres, mais ses proportions aiguës et gracieuses en font une montagne plus belle — et bien plus difficile à escalader. De fait, des quatorze sommets qui dépassent 8 000 mètres, c'est le K2 qui a le taux d'échecs le plus élevé. En 1985, seules neuf des vingt-six expéditions qui avaient tenté de gravir le pic

1. La version originale de ce récit est parue dans le magazine *Outside*. Elle a été écrite en collaboration avec Greg Child. *(Note de l'auteur.)*

y étaient parvenues, permettant à trente-neuf personnes d'atteindre la cime — au prix de douze vies. En 1986, le gouvernement du Pakistan accorda un nombre de permis d'escalade du K2 sans précédent, et à la fin de l'été vingt-sept personnes étaient arrivées au sommet. Mais pour deux personnes parvenues au sommet, une mourait — treize morts au total. Ce coût en vies humaines a fait naître l'épineuse question de la récente évolution de l'alpinisme himalayen, que certains considèrent comme irresponsable car beaucoup trop dangereuse.

Le nouveau *modus operandi* laisse si peu de place à l'erreur que, d'une manière générale, les alpinistes entament leur ascension en considérant que, si quelque chose va mal, le lien entre compagnons de cordée — un lien sacro-saint jusqu'ici — pourrait être rejeté en faveur d'une politique du chacun pour soi.

On admet généralement que l'objectif actuel de l'alpinisme en haute montagne a été fixé durant l'été 1975 quand Reinhold Messner et Peter Habeler ont ouvert une nouvelle voie sur un voisin du K2, le Hidden Peak (8 068 mètres), en se passant de bouteilles d'oxygène, d'équipe de soutien, de cordes fixes, de camps préétablis, et de tout autre moyen traditionnel utilisé dans l'Himalaya. Messner qualifia cette nouvelle approche d'« escalade avec des moyens honnêtes », sous-entendant que parvenir au sommet d'une montagne d'une autre façon relevait de la tricherie.

D'un seul coup, Messner et Habeler ont augmenté la mise dans une partie qui, au départ, ne manquait déjà ni d'enjeux ni de hasards. Quand Messner annonça qu'il allait escalader un pic himalayen de 8 000 mètres avec les mêmes moyens que pour une course dans les Tetons ou les Alpes, les ascensionnistes les plus en vue qualifièrent ce projet d'impossible et de suicidaire. Après le succès de Messner et Habeler, tous ceux qui désiraient détrôner Messner — et parmi les hommes et femmes qui campaient au pied du K2 en 1986, plus d'un nourrissait ce dessein — n'avaient d'autre choix que de s'attaquer aux plus hautes montagnes du monde avec des moyens aussi « honnêtes » et imprudents.

Sur le K2, l'objectif le plus convoité est le Pilier Sud, impressionnant, immense, invaincu, qui demeure l'un des « derniers grands problèmes » et a été surnommé par Messner la « Ligne Magique ». Jaillissant à 3 000 mètres au-dessus du glacier, il exige une escalade en altitude extrême sur une pente encore plus abrupte et technique que toutes celles qui ont été vaincues dans l'Himalaya. En 1986, il y avait quatre équipes faisant une tentative sur la Ligne Magique, y compris une cordée américaine dirigée par un alpiniste de l'Oregon âgé de trente-cinq ans, John Smolich. Le 21 juin, par un matin clair et sans nuages, Smolich et son partenaire Alan Pennington étaient en train d'escalader un facile goulet d'approche au bas de la voie lorsque, bien au-dessus d'eux, le soleil, en faisant fondre la glace, libéra un rocher de la taille d'un camion qui dévala le versant. Quand le bloc heurta le haut du goulet, il déchira le champ de neige peu incliné, créant une grosse avalanche qui engloutit Smolich et Pennington en quelques secondes. Les alpinistes qui avaient assisté au glissement parvinrent à localiser et à dégager Pennington, mais pas assez vite pour lui sauver la vie. Le corps de Smolich, enterré sous quelques milliers de tonnes de débris gelés, ne fut jamais retrouvé.

Les membres survivants de l'équipe américaine renoncèrent à leur ascension et rentrèrent chez eux, mais les autres expéditions considérèrent la tragédie comme un malheureux accident qui était survenu au mauvais endroit au mauvais moment, et ils poursuivirent sans la moindre pause leurs propres efforts.

De fait, le 23 juin, deux Basques — Mari Abrego et Josema Casimaro — ainsi que quatre membres d'une expédition franco-polonaise — Maurice et Liliane Barrard, Wanda Rutkiewicz et Michel Parmentier — atteignirent le sommet du K2 par l'itinéraire le plus facile : l'éperon des Abruzzes. Liliane Barrard et Wanda Rutkiewicz devinrent ainsi les premières femmes à s'être tenues sur la cime du K2 et, ce qui rend leur exploit encore plus impressionnant, elles le firent sans utiliser d'oxygène.

Toutefois, l'obscurité contraignit les six alpinistes à bivouaquer en altitude sur le versant exposé de la pyramide sommitale et, au matin, le ciel clair et froid qui avait dominé la semaine précédente avait fait place à un orage intense. Pendant la descente qui suivit, les Barrard — deux alpinistes qui connaissaient bien l'Himalaya et avaient d'autres sommets de 8 000 mètres à leur actif — furent distancés et disparurent. Parmentier pensa qu'ils avaient dû faire une chute ou bien qu'ils avaient été balayés par une avalanche, mais il s'arrêta tout de même dans un camp en altitude pour les attendre, au cas peu probable où ils réapparaîtraient, pendant que Rutkiewicz et les Basques, dont le nez et les doigts gelés avaient commencé à virer au noir, continuaient leur descente.

Cette nuit du 24 juin, la tempête empira. Se réveillant dans un paysage où la neige empêchait toute visibilité et que battaient de terribles vents, Parmentier informa par talkie-walkie le camp de base qu'il allait descendre. Mais les cordes fixes et les empreintes de ses compagnons étant recouvertes par la neige fraîche, il ne tarda pas à se perdre sur la vaste et plate épaule sud du K2. Il titubait dans le blizzard à 7 900 mètres, sans savoir où aller, murmurant « Grand vide, grand vide[1] », pendant que les alpinistes du camp de base essayaient de le guider par radio grâce à leurs souvenirs de l'itinéraire.

« J'entendais le désespoir et la fatigue dans sa voix tandis qu'il tournait en rond dans la tempête, à la recherche d'un point de repère pour redescendre, dit Alan Burgess, membre d'une expédition britannique. Finalement Parmentier a trouvé un dôme de glace avec une tache d'urine dessus, et nous nous en sommes souvenus. Grâce à cette borne insignifiante, nous avons pu le guider sur le reste du chemin. Il a eu beaucoup de chance. »

Le 5 juillet, quatre Italiens, un Tchèque, deux Suisses et un Français, Benoît Chamoux, atteignirent le sommet via la route des Abruzzes. L'ascension de Chamoux fut réalisée en une seule traite de vingt-quatre heures depuis le camp de base, exploit sportif extraordinaire, surtout si l'on considère que, deux semaines auparavant, le Français avait redescendu — depuis le sommet jusqu'à la base — les pentes voisines du Broad Peak (8 047 mètres) en dix-sept heures.

Encore plus extraordinaires, toutefois, étaient les événements qui se déroulaient sur la face sud du K2, une roche abrupte de 3 200 mètres, couverte de glace, de couloirs d'avalanches et de glaciers fragilement suspendus, qui est délimitée d'un côté par l'éperon des Abruzzes et de l'autre par la Ligne Magique. Le

1. En français dans le texte. *(N.d.T.)*

4 juillet, les Polonais Jerzy Kukuczka, trente-huit ans, et Tadeusz Piotrowski, quarante-six ans, partirent au centre de ce mur encore jamais franchi, dans un style léger et impeccable, avec la ferme intention d'établir un nouveau record de l'escalade himalayenne.

Kukuczka était le prétendant au titre officieux détenu par Messner de plus grand alpiniste en haute altitude. Quand il arriva au pied du K2, il le talonnait dans la course pour escalader le premier les quatorze pics de 8 000 mètres ; il en avait déjà dix à son actif, ce qui constituait un exploit vraiment impressionnant quand on considère le coût d'une expédition himalayenne et le taux de change ridicule du zloty. Pour financer leurs expéditions, Kukuczka et ses camarades polonais avaient dû faire de la contrebande de vodka, tapis, chaussures de sport, et autres produits rares qui pouvaient se troquer contre des devises fortes.

Le 8 juillet, juste avant le coucher du soleil, après beaucoup de passages techniques et quatre bivouacs inconfortables (dans les deux derniers, ils n'avaient ni tente, ni sacs de couchage, ni nourriture, ni eau), Kukuczka et Piotrowski parvinrent au sommet du K2 dans une tempête hurlante. Ils commencèrent immédiatement à redescendre l'éperon des Abruzzes. Deux jours plus tard, alors qu'ils étaient complètement épuisés et luttaient toujours à travers le blizzard sans être encordés, Piotrowski — qui, à cause de ses doigts engourdis, n'avait pu fixer correctement ses crampons ce matin-là — posa le pied sur une plaque de glace dure comme de l'acier et perdit un crampon. Il tituba, se redressa, puis perdit l'autre crampon. Une tentative pour se retenir lui arracha son piolet des mains, et il se mit à dégringoler rapidement le long de la pente qui s'accentuait. Impuissant, Kukuczka vit son partenaire rebondir sur des rochers puis disparaître dans la brume.

A ce moment-là, le nombre de morts commençait à calmer les ardeurs de la plupart des alpinistes encore sur la montagne, mais pour beaucoup l'appel du sommet se révéla plus fort. Kukuczka lui-même partit immédiatement pour le Népal dans l'intention de tenter son douzième pic de 8 000 mètres et de gagner du terrain sur Messner. (L'effort fut vain puisque Messner atteignit les sommets du Makalu et du Lhotse l'automne suivant, remportant ainsi la victoire.)

Peu de temps après le retour de Kukuczka au camp de base, où il raconta sa triste histoire, l'alpiniste italien de trente-huit ans Renato Casarotto s'élança pour sa troisième tentative en solo sur la Ligne Magique. Cette tentative, avait-il promis à Goretta, sa femme, serait la dernière. Casarotto s'était forgé une réputation de casse-cou par des ascensions en solo de nouvelles voies difficiles sur le Fitzroy, le McKinley, et sur d'autres pics majeurs en Amérique du Sud et dans les Alpes, mais l'Italien était en fait un alpiniste très prudent et très réfléchi. Le 16 juillet, à 3 000 mètres sous le sommet, soucieux à cause du mauvais temps qui se dessinait, il renonça prudemment à sa tentative et descendit le Pilier Sud jusqu'au glacier.

Alors que Casarotto traversait la dernière partie du glacier avant le camp de base, des alpinistes qui le suivaient à la jumelle depuis le camp le virent s'arrêter devant une étroite crevasse qui lui barrait la route et qu'il s'apprêtait à enjamber. Mais la neige molle qui couvrait le bord de la faille se disloqua et Casarotto, d'un seul coup, plongea dans les entrailles du glacier sous les yeux horrifiés de ceux qui l'observaient. Vivant mais gravement blessé, étendu dans une mare d'eau glacée au fond du gouffre, il tira un talkie-walkie de son sac et appela Goretta. Au camp de base, elle entendit la voix de son mari murmurer : « Goretta, je suis tombé. Je vais mourir. S'il te plaît, envoie de l'aide. Vite ! »

Une équipe de secours qui partit immédiatement atteignit la crevasse aux dernières lueurs du jour. Un système de traction fut bientôt mis en œuvre et Casarotto, toujours conscient, fut hissé jusqu'à la surface. Il se mit debout, fit quelques pas, puis s'allongea, appuyé sur son sac à dos, et mourut.

La seule expédition sur le K2 à ne pas chercher à se conformer aux principes de Messner était une équipe gigantesque, sponsorisée par l'Etat de Corée du Sud. De fait, les Coréens se moquaient de savoir comment ils iraient au sommet du K2, du moment qu'ils y envoyaient quelqu'un de leur équipe et le redescendaient intact. A cette fin, ils employèrent quatre cent cinquante porteurs pour accumuler une petite montagne de matériel et de provisions au camp de base, procédèrent méthodiquement à l'installation de kilomètres de cordes fixes et à l'aménagement d'une chaîne de camps tout au long de l'éperon des Abruzzes.

Assez tard dans la journée du 3 août, par un temps parfait, trois Coréens parvinrent au sommet en utilisant des bouteilles d'oxygène. Après avoir commencé leur descente, ils furent rattrapés par deux Polonais épuisés ainsi qu'un Tchèque qui, en se servant de moyens conventionnels, mais sans oxygène, avait réussi à faire la première ascension de la voie où Casarotto et les deux Américains avaient péri — la tant convoitée Ligne Magique de Messner. Alors que les deux équipes descendaient ensemble dans l'obscurité, un alpiniste polonais célèbre nommé Wojciech Wroz, en raison d'une moindre attention causée par le manque d'oxygène et la fatigue, lâcha par inadvertance le bout d'une corde fixe dans une descente en rappel. Ce fut le septième décès de la saison. Le lendemain, Muhammed Ali, un porteur pakistanais convoyant des charges près de la base de la montagne, fut frappé par une pierre et devint la huitième victime.

Cet été-là, sur le Baltoro, la plupart des Européens et des Américains avaient commencé par dénigrer les méthodes lourdes et périmées que les Coréens avaient utilisées pour gravir l'éperon des Abruzzes. Mais alors que la saison avançait et que la montagne restait pour eux hors d'atteinte, bon nombre de ces alpinistes abandonnèrent tacitement les principes qu'ils avaient défendus à grand tapage et se servirent sans complexe des échelles de corde et des tentes des Coréens.

Sept hommes et femmes venant de Pologne, d'Autriche et de Grande-Bretagne succombèrent à cette tentation, après que leurs expéditions originelles eurent plié bagage, et décidèrent d'unir leurs forces sur l'éperon des Abruzzes. Tandis que les Coréens préparaient leur assaut final, le groupe ainsi constitué se mit en route sur les pentes inférieures de la montagne. Bien que cette « équipe » multinationale grimpât à des vitesses variées et s'éparpillât, les cinq hommes et les deux femmes atteignirent le Camp IV à 8 000 mètres — le plus haut camp — le soir précédant l'assaut final des Coréens.

Pendant que ceux-ci progressaient vers la cime par le temps idéal de ce 3 juillet, l'équipe austro-anglo-polonaise restait dans les tentes qu'ils avaient libérées au Camp IV, ayant décidé d'attendre une journée avant d'effectuer la dernière partie de l'ascension. Les raisons de cette décision ne sont pas très claires. Quoi qu'il en soit, lorsque les Européens se mirent en route vers la tour sommitale, le matin du 4 juillet, la météo était sur le point de changer. « Au-dessus du Chogolisa, il y avait de grandes volutes de nuages venues du sud, dit Jim Curran, un alpiniste et réalisateur britannique qui était au camp de base à ce moment-là. Il devenait évident qu'un temps épouvantable arrivait. Chacun d'entre eux a dû être conscient qu'il prenait un grand risque en continuant, mais je pense que quand le sommet du K2 est à votre portée, vous pouvez être enclin à prendre un peu plus de risques que d'habitude. Mais, rétrospectivement, ce fut une erreur. »

Alan Rouse, trente-quatre ans, l'un des alpinistes les plus accomplis d'Angleterre, et Dobroslawa Wolf, une Polonaise de trente ans, furent les premiers à aborder la pyramide sommitale, mais Wolf se fatigua vite et s'arrêta. Rouse continua néanmoins, prenant sur lui d'ouvrir la voie tout seul pendant la plus grande partie de la journée jusqu'à ce que, à quinze heures trente, juste en dessous du sommet, il soit rattrapé par les Autrichiens Willi Bauer, quarante-quatre ans, et Alfred Imitzer, quarante ans. C'est vers seize heures qu'ils atteignirent le sommet et Rouse, premier Anglais à vaincre le K2, décida de marquer l'événement en accrochant l'Union Jack à deux bouteilles d'oxygène que les Coréens avaient laissées. Pendant leur descente, à cent cinquante mètres en dessous du sommet, les trois hommes trouvèrent Wolf endormie dans la neige, et Rouse, après une chaude discussion, la convainquit de renoncer et de redescendre avec eux.

Peu de temps après, Rouse croisa deux autres membres de l'équipe qui montaient, l'Autrichien Kurt Diemberger et une Anglaise, Julie Tullis. Diemberger, âgé de cinquante-quatre ans, était une célébrité en

Europe de l'Ouest, un *Bergsteiger* légendaire dont la carrière s'étendait sur deux générations. Il avait été le partenaire du fameux Hermann Buhl, et avait gravi cinq pics de 8 000 mètres. Tullis, qui avait quarante-sept ans, était à la fois la protégée et l'amie très proche de Diemberger, et bien qu'elle ne possédât pas beaucoup d'expérience de l'Himalaya, elle était déterminée et endurante, et était allée au sommet du Broad Peak avec Diemberger en 1984. Escalader ensemble le K2 était un rêve que tous deux avaient partagé pendant des années.

A cause de l'heure tardive et de la météo qui se détériorait rapidement, Rouse, Bauer et Imitzer tentèrent de convaincre Diemberger et Tullis de remettre le sommet à plus tard et de redescendre. Ils méditèrent ce conseil mais, comme le déclara ultérieurement Diemberger à un journal anglais : « J'étais convaincu qu'il valait finalement mieux essayer après toutes ces années. Et Julie aussi. Elle a dit : "Oui, je pense que nous devrions continuer." Il y avait un risque, mais l'escalade est affaire de risques calculés. » A dix-neuf heures, quand Diemberger et Tullis arrivèrent au sommet, ce risque avait été apparemment bien calculé. Ils s'étreignirent et Tullis s'écria : « Kurt, notre rêve est enfin réalisé : le K2 est à nous maintenant ! » Ils restèrent au sommet environ dix minutes, prirent quelques photos, et ensuite, alors que le crépuscule se changeait en l'obscurité froide et acide de la nuit, ils firent demi-tour, unis par quinze mètres de corde.

Juste après avoir quitté le sommet, Tullis, qui était au-dessus de Diemberger, glissa. « Pendant une fraction de seconde, dit Diemberger, j'ai cru que je pouvais nous retenir, mais ensuite nous avons commencé à glisser tous les deux sur la pente raide qui menait à une immense falaise de glace. J'ai pensé : "Mon Dieu, ça y est. C'est la fin." » Au pied de la montagne, en montant depuis le camp de base, ils avaient trouvé le corps de Liliane Barrard à l'endroit où il avait atterri après sa chute de trois mille mètres, trois semaines auparavant, et l'image de cette forme disloquée resurgit dans l'esprit de Diemberger. « La même chose est en train de nous arriver », se dit-il, désespéré.

Mais, par miracle, ils parvinrent à arrêter leur glissade avant le bord du précipice. Puis, craignant une autre chute dans l'obscurité, plutôt que de continuer, ils se creusèrent un petit abri dans la neige et y passèrent le reste de la nuit, au-dessus de 8 200 mètres, frissonnant ensemble dans l'air glacé. Au matin, la tempête était en plein sur eux. Tullis avait des gelures au nez et aux doigts, et elle y voyait mal — ce qui pouvait indiquer le début d'un œdème cérébral. Mais les deux alpinistes avaient réussi à survivre à la nuit. A midi, quand ils arrivèrent aux tentes du Camp IV et retrouvèrent leurs cinq camarades d'ascension, ils pensaient que le pire était derrière eux.

A mesure que le jour avançait, la tempête empirait, avec des quantités prodigieuses de neige, des vents de plus de 160 km/h et des températures inférieures à zéro. La tente dans laquelle étaient Diemberger et Tullis s'effondra sous les coups de boutoir de la tornade, aussi s'installa-t-il dans la tente de Rouse et de Wolf, tandis qu'elle rejoignait celle de Bauer, Imitzer et Hannes Wieser, un Autrichien qui n'était pas allé au sommet.

Au cours de la nuit du 6 août, pendant que la tempête se renforçait encore, les effets combinés du froid, de l'altitude, de sa chute ainsi que du bivouac forcé eurent raison de Tullis. Elle mourut d'épuisement. Le matin, quand Diemberger apprit sa mort, il fut anéanti.

Plus tard ce jour-là, les six survivants consommèrent leurs dernières provisions et — chose plus alarmante encore — ils brûlèrent les dernières gouttes de leur pétrole. Ils ne pouvaient plus faire fondre la neige pour avoir de l'eau.

Durant les trois jours qui suivirent, alors que leur sang s'épaississait et que leurs forces les quittaient, ils en arrivèrent, rapporte Diemberger, « au stade où l'on a du mal à distinguer le rêve de la réalité ». Lui-même, basculant par intermittence dans des périodes d'hallucinations, surveillait Rouse qui s'effondrait encore plus rapidement qu'eux et qui, finalement, sombra dans un état de délire constant, payant apparemment le prix de l'énergie qu'il avait dépensée en ouvrant seul la voie vers le sommet. « Rouse, se souvient Diemberger, ne pouvait parler que d'eau. Mais il n'y en avait plus, pas même une goutte. Et la neige que nous tentions de manger était si froide et si sèche qu'elle fondait à peine dans la bouche. »

Le matin du 10 août, après cinq jours d'une tempête incessante, la température descendit à −29 °C, et le vent soufflait toujours aussi fort, mais la neige s'arrêta de tomber et le ciel s'éclaircit. Ceux qui avaient encore les idées claires comprirent que s'ils ne partaient pas tout de suite, ils n'auraient plus assez de force pour s'en aller.

Diemberger, Wolf, Imitzer, Bauer et Wieser entamèrent la descente immédiatement. Ils pensaient qu'ils n'avaient aucune chance de ramener Rouse qui se trouvait dans un état semi-comateux, alors ils l'installèrent aussi confortablement que possible et l'abandonnèrent dans sa tente, sachant bien qu'ils ne le reverraient jamais vivant. En réalité, les cinq survivants encore conscients étaient eux-mêmes en si mauvais état que la descente tourna rapidement au sauve-qui-peut.

A moins de trente mètres du camp, Wieser et Imitzer s'écroulèrent. L'effort à fournir pour avancer dans la neige qui montait jusqu'à la taille les avait épuisés. « On a essayé en vain de les secouer, raconte Diemberger, seul Alfred a réagi, faiblement. Il a murmuré qu'il n'y voyait plus. » Wieser et Imitzer furent laissés là où ils étaient allongés et, Bauer ouvrant la voie, les trois autres poursuivirent leur difficile progression. Quelques heures plus tard, Wolf prit du retard et ne reparut pas. L'équipe se réduisit à deux.

Quand Bauer et Diemberger parvinrent au Camp III, à 7315 mètres, ils découvrirent qu'il avait été détruit par une avalanche. Ils se hâtèrent vers le Camp II, à 6400 mètres, où, à la nuit tombée, ils purent trouver de la nourriture, du pétrole et un abri.

A ce moment-là, selon Jim Curran, tout le monde au camp de base avait « abandonné tout espoir de revoir les alpinistes ». C'est donc avec incrédulité, alors qu'il commençait à faire sombre le lendemain après-midi, qu'ils aperçurent « cette silhouette titubant doucement sur la moraine en direction du camp, semblable à une apparition ».

Cette apparition, c'était Bauer — horriblement gelé, à peine vivant, trop épuisé et déshydraté pour pouvoir parler. Finalement, il réussit à faire comprendre que Diemberger était vivant lui aussi, quelque part au-dessus d'eux. Curran ainsi que deux alpinistes polonais partirent immédiatement à sa recherche. Ils le trouvèrent à minuit, rampant le long des cordes fixes entre le Camp II et le Camp I, et passèrent la journée suivante à le conduire au camp de base, d'où, le 16 août, Bauer et lui furent évacués par hélicoptère. Plusieurs mois d'hôpital et de multiples amputations des doigts et des orteils les attendaient.

Quand des nouvelles partielles de ce désastre parvinrent en Europe, elles firent les gros titres des médias. Au début, surtout en Angleterre, Diemberger, jusque-là populaire, fut vilipendé pour avoir laissé Rouse mourir au Camp IV, surtout après que celui-ci, au lieu d'effectuer une prudente et rapide retraite le 5 août, eut apparemment attendu que Diemberger et Tullis reviennent de leur épreuve nocturne sur la pyramide sommitale.

Curran insiste sur le fait que ces critiques ne sont pas justifiées. Rouse et les autres, pense-t-il, ne sont pas restés au Camp IV le 5 août dans l'intention d'attendre Diemberger et Tullis : « Ils devaient être incroyablement fatigués après leurs efforts de la veille, et la tempête aurait rendu très difficile toute tentative de retrouver la route du Camp IV au Camp III. Il ne faut pas oublier que les alentours du Camp IV sont quasiment sans relief, et tout le monde savait que Michel Parmentier avait failli se perdre en cherchant son chemin dans des conditions identiques. »

« Quand finalement la descente commença depuis le Camp IV, dit Curran, ni Diemberger ni Willi Bauer n'avait les moyens de ramener Rouse en vie. Eux-mêmes étaient presque morts. C'était une situation désespérée. Je ne pense pas qu'il soit possible de porter un jugement de l'endroit où nous sommes. »

Malgré tout, il est difficile de résister à la tentation de comparer les événements de 1986 avec la situation étonnamment semblable qu'ont connue huit alpinistes trente-trois ans plus tôt, quasiment au même endroit sur le K2. Membres d'une expédition américaine dirigée par le Dr Charles Houston, ils campaient à

7 620 mètres sur la route alors inviolée des Abruzzes, se préparant à l'assaut final, quand ils furent frappés par un blizzard d'une violence inhabituelle qui les bloqua dans leurs tentes pendant neuf jours. Vers la fin de cette tempête, un jeune alpiniste nommé Art Gilkey fut atteint d'une maladie mortelle appelée thrombophlébite (coagulation du sang dans les veines causée par l'altitude et la déshydratation).

Les sept compagnons de Gilkey, qui eux-mêmes n'étaient pas en grande forme, mais en meilleur état cependant que Diemberger et ses partenaires, comprirent que Gilkey n'avait quasiment aucune chance de survivre, et qu'essayer de le sauver les mettrait tous en danger. «Néanmoins, dit Houston, les liens qui nous unissaient s'étaient resserrés à ce point que personne n'eut l'idée de l'abandonner et de sauver sa propre peau — on ne pouvait y songer, même s'il était probable qu'il allait mourir de sa maladie.» Pendant son évacuation, Gilkey fut emporté et tué par une avalanche, mais on ne peut qu'être impressionné par la solidarité que ses camarades lui manifestèrent jusqu'à la fin, bien que cela ait failli leur coûter la vie à tous.

On peut prétendre que la décision de ne pas abandonner Gilkey en 1953 était le summum de l'héroïsme — ou bien que c'était un acte stupidement sentimental et que si une avalanche n'avait pas fortuitement débarrassé ses compagnons du fardeau qu'il représentait, il en aurait résulté huit morts au lieu d'une. Dans cette perspective, la décision de ceux qui survécurent au K2 en 1986 d'abandonner des partenaires à bout de forces ne paraît relever ni du manque de cœur ni de la lâcheté, mais semble plutôt une réaction éminemment raisonnable.

Mais si les actions de Diemberger et de Bauer paraissent justifiées, une interrogation plus large et plus délicate demeure. Il est naturel, dans tout sport, de rechercher sans cesse de nouvelles performances. Mais ce principe s'applique-t-il à un sport dans lequel il se traduit par une augmentation des risques ? Une société civilisée doit-elle continuer à cautionner, voire à célébrer, une activité dans laquelle s'instaure une tolérance croissante pour les accidents mortels ?

Depuis que les gens escaladent l'Himalaya, un nombre non négligeable d'entre eux y ont perdu la vie, mais le carnage sur le K2 en 1986 était d'une autre nature. Une étude récente et très complète montre que, depuis le début des ascensions himalayennes jusqu'en 1985, environ une personne sur trente parmi ceux qui visaient les pics de 8 000 mètres n'en est pas revenue vivante. Sur le K2 l'été dernier, les chiffres sont, de façon alarmante, de presque un sur cinq.

Il est difficile de ne pas attribuer au moins une partie de ces statistiques préoccupantes à la remarquable suite d'exploits que Reinhold Messner a accomplie dans l'Himalaya durant les quinze dernières années. La grandeur de Messner a, peut-être, faussé le jugement de certains de ses émules. Les nouvelles normes audacieuses qu'il a instaurées ont peut-être donné une trop grande confiance à de nombreux alpinistes à qui manque le mystérieux « sens de la montagne » qui lui a permis de survivre pendant toutes ces années. Une poignée d'alpinistes de France et de Pologne ont peut-être ce qu'il faut pour jouer dans la même catégorie que lui, mais certains, hommes et femmes, semblent avoir perdu de vue qu'à ce jeu les perdants perdent très gros.

Curran assure qu'on ne peut trouver de causes générales aux multiples disparitions survenues dans le Karakoram l'été dernier : « Des gens sont morts en grimpant avec des cordes fixes et sans cordes fixes; des gens sont morts au sommet de la montagne et d'autres en bas; des vieux sont morts et des jeunes sont morts.»

Curran poursuit ainsi : «S'il y avait un point commun à la plupart de ces morts ce serait que beaucoup de ces grimpeurs étaient ambitieux et avaient beaucoup à gagner à gravir le K2 — et beaucoup à perdre également. Casarotto, les Autrichiens, Al Rouse, les Barrard, tous avaient un *excès d'ambition* — c'est l'expression qui me vient à l'esprit. Je crois que si vous tentez des ascensions de pics de 8 000 mètres, vous devez vous laisser une marge de manœuvre pour faire demi-tour.»

Il semblerait que sur le K2, cet été-là, trop de gens ne l'aient pas fait.

12

LE DEVILS THUMB

Dès que j'atteignis l'autoroute, j'eus du mal à garder les yeux ouverts. Jusque-là tout s'était bien passé sur la route sinueuse entre Fort Collins et Laramie, mais quand la Pontiac se mit à rouler facilement sur le doux bitume rectiligne de l'I-80, le bruit soporifique de la voiture entreprit de grignoter ma vigilance comme les termites un arbre mort.

Ce soir-là, après avoir passé neuf heures à transporter des poutres et à cogner sur des clous récalcitrants, j'avais annoncé à mon patron que je m'en allais : « Non, pas dans deux semaines, Steve ; j'ai l'intention de partir tout de suite. » Dans la caravane rouillée qui m'avait servi de logement à Boulder, il me fallut trois heures supplémentaires pour rassembler mes instruments et mes affaires. Je chargeai le tout dans ma voiture, remontai Pearl Street jusqu'à la Tom's Tavern où j'avalai une bière pour fêter l'événement et, peu après, j'étais sur la route.

Vers une heure du matin, à cinquante kilomètres à l'est de Rawlins, la fatigue de la journée tomba brusquement sur mes épaules. L'euphorie que j'avais sentie se diffuser librement en moi pendant ma rapide escapade laissa place à une lassitude écrasante. Je me sentais soudain épuisé. L'autoroute s'étendait vide et rectiligne jusqu'à l'horizon. A l'extérieur, l'air était froid et les grandes plaines nues du Wyoming luisaient au clair de lune. Elles me faisaient penser au tableau du Douanier Rousseau qui représente un gitan endormi. A cet instant précis, j'avais une terrible envie d'être ce gitan, étendu sur le dos, assommé de fatigue sous les étoiles. Je fermai les yeux, juste une seconde, mais ce fut une seconde de bonheur. Bien que cet instant eût été bref, il m'avait redonné des forces. La Pontiac, un solide mastodonte aux amortisseurs défunts datant de l'époque d'Eisenhower, flottait sur la route comme un radeau sur la vague océane.

Au loin clignotaient les lumières rassurantes d'une pompe à essence. Je fermai une deuxième fois les yeux, les gardant clos un peu plus longtemps. Une sensation plus douce que l'amour m'envahit.

Quelques minutes plus tard, je laissai à nouveau mes paupières se fermer. Je ne sais pas combien de temps je m'assoupis, cette fois — peut-être cinq secondes, peut-être trente —, mais je fus réveillé par les rudes secousses de la Pontiac qui cahotait sur le bas-côté à 110 km/h. Normalement, la voiture aurait dû déraper dans l'herbe et faire un tonneau. Les roues arrière chassèrent brutalement six ou sept fois, mais je finis par ramener la voiture folle sur la chaussée sans même un pneu éclaté. Je la laissai s'arrêter tranquillement. Mes mains se détachèrent du volant auquel elles s'agrippaient, je respirai profondément jusqu'à ce que mon cœur batte moins fort, puis j'enclenchai le levier de vitesse et repartis sur l'autoroute.

Il aurait été plus raisonnable de m'arrêter pour dormir, mais j'allais en Alaska dans l'intention de changer de vie et la patience n'était pas la principale qualité de mes vingt-trois ans.

Seize mois plus tôt, j'avais obtenu mes diplômes universitaires avec peu de distinctions et moins encore d'aptitude à me placer sur le marché du travail. A l'université, la première affaire de cœur de ma vie avait suivi pendant quatre ans un cours chaotique fait de ruptures et de réconciliations avant de connaître une fin tardive et tumultueuse. Presque un an après, ma vie sentimentale était toujours un néant. Pour vivre, je travaillais dans une équipe de charpentiers, transportant en grognant d'énormes charges de contreplaqué, comptant les minutes avant la pause-café, grattant en vain la sciure collée *in perpetuum* dans mon cou. Ce métier, qui consistait à enlaidir le paysage du Colorado en construisant des maisons mitoyennes et des lotissements pour 3 dollars et quelques *cents* de l'heure, n'était pas la carrière dont j'avais rêvé dans mon enfance.

Un soir, alors que je ressassais tout cela au comptoir de la Tom's Tavern, grattant douloureusement mes cicatrices existentielles, il me vint une idée, un projet, pour remettre ma vie dans le bon chemin. C'était d'une admirable simplicité et plus j'y pensais, plus ce projet me semblait excellent. Le regard perdu dans le fond de mon verre, je le trouvais inattaquable. Ce plan consistait tout bonnement à faire l'ascension d'une montagne de l'Alaska appelée le Devils Thumb.

Il s'agit d'un piton de diorite exfoliée dont l'aspect est imposant quel que soit le côté par lequel on l'aborde, mais surtout au nord. Son grand mur nord, jamais escaladé, s'élève, raide et lisse, à 1 829 mètres au-dessus du glacier qui l'entoure. Deux fois plus haute que l'El Capitan du Yosemite, la face nord du Thumb est l'une des plus grandes murailles de granit du continent américain, et peut-être du monde. Mon intention était d'aller en Alaska, de traverser la calotte de glace de Stikine pour atteindre le Devils Thumb et de réaliser la première ascension de son fameux nordwand. Au milieu du second verre, il me parut particulièrement judicieux de faire tout cela en solo.

Au moment où j'écris ceci, plus de douze ans après, je ne vois plus très bien pourquoi je pensais que cette ascension en solo pourrait changer ma vie. Cela avait un rapport avec le fait que l'escalade était le seul et unique domaine où j'avais manifesté des aptitudes. Quel qu'ait été mon raisonnement, il s'y mêlait les passions désordonnées de la jeunesse et aussi une lecture trop assidue des œuvres de Nietzsche, de Kerouac et de John Menlove Edwards. Ce dernier était un psychiatre et écrivain profondément perturbé qui, avant de mettre fin à ses jours en avalant une capsule de cyanure en 1958, avait été l'un des meilleurs varappeurs britanniques de son temps.

Le Dr Edwards voyait dans l'escalade une « tendance névrotique » plutôt qu'un sport. Il ne s'y adonnait pas pour son plaisir mais pour y trouver un refuge face aux tourments intérieurs qui marquaient son existence. Je me souviens qu'en ce printemps 1977 j'avais été saisi par un passage d'une de ses nouvelles intitulée *Lettre d'un homme :*

> Ainsi, comme vous pouvez l'imaginer, j'ai grandi avec un corps plein d'énergie mais aussi avec un esprit tendu et insatisfait qui désirait quelque chose de plus, quelque chose de tangible. Il recherchait passionnément la réalité, comme si elle n'était pas là...

Mais vous voyez tout de suite ce que je fais. Je grimpe.

Pour quelqu'un qui s'était entiché de ce genre de prose, le Thumb devenait une sorte de phare. Ma foi en mon projet devint inébranlable. J'étais vaguement conscient que je m'emballais un peu trop, mais j'avais la conviction que si je réussissais cette ascension, tout ce qui suivrait se passerait bien. C'est dans cet état d'esprit que j'appuyai un peu plus sur l'accélérateur et que, stimulé par l'émotion d'avoir frôlé l'accident, je fonçai vers l'ouest dans la nuit.

Il n'est pas possible de s'approcher du Devils Thumb en voiture. Cette montagne fait partie des Boundary Ranges, à la frontière de l'Alaska et de la Colombie-Britannique, et se trouve à peu de distance de la petite ville de Petersburg à laquelle on ne peut accéder que par bateau ou par avion. Il existe un service aérien régulier pour s'y rendre mais mes biens se réduisant à ma Pontiac et à 200 dollars en liquide, je ne pouvais même pas m'offrir un aller simple. Aussi allai-je en voiture jusqu'à Gig Harbor, dans l'Etat de Washington, où je m'engageai comme membre d'équipage sur un senneur qui partait vers le nord. Cinq jours plus tard, quand l'*Ocean Queen* entra dans Petersburg pour y faire de l'eau et du gazole, je sautai sur le quai, enfilai mon sac à dos et longeai les docks sous la pluie tenace de l'Alaska.

A Boulder, toutes les personnes à qui j'avais parlé de mon projet avaient sans exception réagi de manière claire et nette. Je fumais trop d'herbe, me dirent-elles, et mon idée était une erreur monumentale. Je surestimais gravement mes capacités de grimpeur; jamais je ne parviendrais à effectuer seul une randonnée d'un mois ; je tomberais dans une crevasse et en mourrais.

Les habitants de Petersburg réagirent différemment. Comme tous ceux qui vivent en Alaska, ils étaient habitués aux idées farfelues. Après tout, une portion notable de la population de l'Etat se lançait dans des projets hâtivement conçus tels que l'exploitation de l'uranium dans la chaîne de Brooks, la vente d'icebergs aux Japonais ou la commercialisation par correspondance d'excréments d'orignal. Ceux que je rencontrai, lorsqu'ils eurent une réaction, se contentèrent de me demander combien cette ascension allait me rapporter.

De toute façon, l'un des aspects séduisants de l'escalade du Thumb — et de l'alpinisme en général —, c'est que l'opinion d'autrui n'a guère plus d'importance qu'un poil de rat. Lancer ce projet n'impliquait pas l'approbation d'un directeur du personnel, d'une commission d'agrément, d'un bureau des licences ou d'une brochette de juges aux visages sévères. Si j'avais envie de m'attaquer à une muraille jamais escaladée, tout ce que j'avais à faire, c'était me rendre au pied de la montagne et me servir de mes piolets.

Petersburg est construite sur une île. Le Devils Thumb se trouve sur la côte, dans l'intérieur des terres. Pour y parvenir, il fallait d'abord traverser quarante kilomètres d'eau salée. Pendant toute une journée, j'arpentai en vain les quais dans l'espoir de louer une place sur un bateau pour franchir le détroit de Frederick. Puis je rencontrai Bart et Benjamin.

Coiffés d'une queue de cheval, ils faisaient partie d'une communauté issue de Woodstock, appelée les Hodads, qui exploitait la forêt. Nous entamâmes une conversation. Je leur indiquai que moi aussi il m'était arrivé de travailler comme forestier. Les Hodads m'apprirent qu'ils avaient retenu un hydravion pour rentrer à leur campement le lendemain matin et Bart me dit : « C'est ton jour de chance, fiston, pour vingt dollars tu peux venir avec nous. Comme ça tu arriveras en grande pompe à ta montagne. » Le 3 mai, un jour et demi après mon arrivée à Petersburg, je débarquai du Cessna des Hodads, pataugeai sur la rive de la baie de Thomas découverte par la marée et entamai une longue marche vers l'intérieur des terres.

Le Devils Thumb jaillit depuis la calotte glaciaire de Stikine, immense et labyrinthique réseau de glaciers qui enserre les crêtes du sud de l'Alaska comme un poulpe dont les innombrables tentacules rampent lentement vers la mer depuis les hauteurs escarpées qui longent la frontière canadienne. En arrivant dans la baie de Thomas, je faisais le pari que l'un de ces tentacules gelés, le glacier de Baird, me conduirait en toute sécurité au pied du Thumb, distant de quarante-huit kilomètres.

Au bout d'une heure de marche sur le gravier de la plage, j'étais devant la langue bleue du Baird, une étendue glaciaire torturée. A Petersburg, un bûcheron m'avait conseillé de faire attention aux grizzlys le long de cette partie de la côte : « Là-bas, les ours, y s'réveillent juste en ce moment, dit-il avec un sourire. Sont plutôt de mauvaise humeur. Z'ont rien mangé de tout l'hiver. Mais garde ton fusil à la main, t'auras pas de problème. » Le problème, précisément, c'est que je n'avais pas de fusil. En fait, ma seule rencontre avec la faune hostile se réduisit à celle d'une escadrille de mouettes qui plongea en piqué sur ma tête avec une fureur hitchcockienne. L'agression aviaire passée, ma peur des ours évacuée, j'éprouvai un réel soulagement en tournant le dos à la côte. Je fixai mes crampons et commençai ma progression sur le museau large et inerte du glacier.

Après cinq ou six kilomètres, j'atteignis la partie neigeuse. Là, j'échangeai mes crampons pour des skis. Le fait de chausser ces planches allégea ma charge de sept kilos et me permit d'aller plus vite. Mais, à présent, la neige qui couvrait la glace dissimulait de nombreuses crevasses, ce qui rendait ma course solitaire extrêmement dangereuse.

Prévoyant ce risque, je m'étais arrêté à Seattle pour acheter dans une quincaillerie une paire de solides tringles à rideau en aluminium longues de trois mètres. En abordant la neige, j'attachai les tringles en forme de croix puis les disposai à l'horizontale dans les sangles de mon sac à dos. Tout en avançant avec difficulté sur le glacier, portant mon sac trop chargé et cette ridicule croix métallique, j'avais l'impression de me soumettre à une étrange pénitence. Mais si je devais passer au travers de la couche de neige et tomber dans une crevasse dissimulée, j'espérais fortement que ces tringles se mettraient en travers de la faille et m'empêcheraient d'être avalé par le glacier de Baird.

Les premiers alpinistes à s'être aventurés sur la calotte de glace de Stikine furent Bestor Robinson et le grand alpiniste germano-américain Fritz Wiessner. En 1937, ils passèrent un mois dans la tempête sur les Boundary Ranges mais ne purent atteindre aucun sommet important. Wiessner y retourna en 1946 accompagné de Donald Brown et de Fred Beckey pour tenter l'ascension du Devils Thumb, celui des pics de la calotte de glace qui offre l'aspect le plus rébarbatif. Au cours de cette expédition, Fritz se déchiqueta le genou à la suite d'une chute pendant la montée. Il rentra chez lui tant bien que mal, complètement dégoûté. Mais ce même été 1946, Beckey y retourna avec Bob Craig et Cliff Schmidtke. Le 25 août, après plusieurs tentatives infructueuses et des escalades sur l'arête est à faire dresser les cheveux sur la tête, Beckey et ses compagnons purent s'asseoir, fatigués, surpris, ahuris, sur le faîte très étroit de la tour sommitale. Cette ascension, de loin la plus technique jamais réalisée en Alaska, posait une importante pierre milliaire dans l'histoire de l'alpinisme américain.

Dans les décennies qui suivirent, trois autres cordées parvinrent au sommet du Thumb, mais toutes se tinrent à l'écart de la grande face nord. En lisant les récits de ces ascensions, je m'étais demandé pourquoi personne n'avait abordé la montagne par le côté qui, sur la carte tout au moins, paraissait la route la plus aisée et la plus logique, le glacier de Baird. Je me posai moins la question après être tombé sur un article de Beckey dans lequel l'alpiniste distingué mettait en garde contre « les avalanches longues et abruptes qui bloquent le passage entre le glacier de Baird et la calotte de glace à proximité du Devils Thumb ». Mais, ayant étudié des photographies aériennes, je conclus que Beckey s'était trompé. Les avalanches n'étaient pas si grosses que cela, ni si terribles. Le Baird, j'en étais certain, était le meilleur chemin pour accéder à la montagne.

Deux jours durant, je progressai régulièrement et sans incident vers le haut du glacier, en me félicitant d'avoir découvert un itinéraire si astucieux. Le troisième jour, je parvins au pied de la calotte proprement dite, à l'endroit où le long bras du Baird s'unit au corps glaciaire principal. Là, la calotte déborde abruptement d'un plateau élevé et descend vers la mer par une échancrure entre deux montagnes dans une fantasmagorie de glace concassée. Devant moi, le glacier donnait une impression bien différente de celle que les photos m'avaient laissée. Tout en contemplant, à un kilomètre et demi de distance, ce lointain tumulte, me vint, pour la première fois depuis mon départ du Colorado, la pensée que, peut-être, cette ascension du Devils Thumb n'était pas la meilleure idée que j'avais eue.

La coulée de glace était un dédale de crevasses et de séracs vacillants. De loin, elle donnait l'impression d'un train qui déraille, comme si de fantomatiques wagons blancs passaient en grand nombre par-dessus le rebord de la calotte et dégringolaient le long de la pente. Plus je m'approchais, plus ce spectacle m'était désagréable. Mes tringles à rideaux semblaient une piètre protection contre des crevasses larges de douze mètres et profondes de quatre-vingts. Avant que j'aie eu le temps de préparer un itinéraire pour franchir cette chute de glace, le vent se leva et la neige se mit à tomber obliquement avec force, me cinglant le visage et réduisant la visibilité à presque rien.

Dans mon impétuosité, je décidai de continuer malgré tout. Pendant la plus grande partie de la journée, j'avançai en tâtonnant dans ce labyrinthe d'une blancheur aveuglante, revenant sur mes pas d'une voie sans issue à l'autre. A chaque fois, je pensais avoir trouvé un passage, mais j'échouais en haut d'un pilier de glace isolé ou bien je devais faire demi-tour au fond d'un cul-de-sac. Les bruits qui provenaient du sol donnaient à mes efforts un caractère d'urgence. Un madrigal de craquements et de sons aigus — semblable à ce qui se produit quand on courbe une branche de sapin jusqu'au point où elle se brise — me rappelait qu'il est dans la nature des glaciers de se déplacer et dans celle des séracs de s'effondrer.

J'avais très peur d'être aplati par la chute d'un mur de glace, mais bien plus encore de tomber dans une crevasse. Cette peur s'intensifia lorsque mon pied passa au travers d'un pont de neige qui dissimulait une faille si profonde que je n'en voyais pas le fond. Un peu plus tard, je traversai un autre arc jusqu'à la ceinture. Les tringles m'empêchèrent de tomber dans une crevasse de trente mètres. Une fois que je me fus dégagé, la nausée me plia en deux. Je me représentais ce que ce serait d'être au fond de cette crevasse, attendant la mort sans que personne puisse savoir quand et comment ma vie avait pris fin.

La nuit était presque là quand j'émergeai du sommet d'un sérac pour me hisser sur l'étendue vide, battue par le vent du haut plateau de glace. En état de choc, et frissonnant jusqu'aux os, je m'éloignai suffisamment à ski pour ne plus entendre le grondement de la chute de glace. Je plantai ma tente, me glissai dans mon sac de couchage et, en tremblant, me laissai aller à un sommeil intermittent.

Bien que mon projet d'ascension du Devils Thumb n'ait pas été pleinement formé avant le printemps 1977, cette montagne était restée tapie dans une zone obscure de mon cerveau pendant environ quinze ans. Depuis le 12 avril 1962, pour être exact. Le jour de mon huitième anniversaire, au moment où ils devaient m'offrir leur cadeau, mes parents me donnèrent le choix entre une visite à la nouvelle foire de Seattle pour monter sur le monorail et voir l'« Aiguille spatiale », ou bien une initiation à l'alpinisme sur le troisième sommet de l'Oregon, un volcan éteint appelé la South

Sister, que je pouvais distinguer de la fenêtre de ma chambre par temps clair. Le choix était difficile. J'examinai tous les aspects de la question, puis optai pour l'escalade.

Pour me préparer à cette ascension, mon père me donna un exemplaire du manuel le plus utilisé à l'époque, *L'Alpinisme : la liberté sur les pentes.* C'était un épais volume à peine moins lourd qu'une boule de bowling. A partir de ce moment, je passai l'essentiel de mon temps libre à l'étudier à fond, mémorisant les subtilités du placement des pitons et des coinceurs, les finesses de l'épaulement et de la traversée. Rien de tout cela ne me serait utile pour mon ascension inaugurale, car la South Sister était loin d'être une escalade extrême. Elle n'exigeait, en fait de connaissances techniques, qu'une bonne aptitude à la marche à pied et, chaque été, des centaines de fermiers, de petits enfants et d'animaux domestiques envahissaient ses pentes.

Ce qui ne veut pas dire que mes parents et moi-même vainquîmes le volcan. En lisant dans le manuel d'alpinisme des pages et des pages où étaient décrites des situations dangereuses, j'en avais conclu que l'escalade était toujours une affaire de vie et de mort. Sur la South Sister, à mi-parcours, cela me revint soudain à l'esprit. En plein milieu d'une pente enneigée inclinée à vingt degrés, où il aurait été impossible de faire une chute même en le voulant, je me figurai qu'un danger mortel me menaçait et éclatai en sanglots. Ce qui mit un terme à l'ascension.

Par une sorte d'effet pervers, après la déroute sur la South Sister, mon intérêt pour l'alpinisme ne fit que croître. Je repris ma lecture compulsive de *L'Alpinisme.* Les activités effrayantes décrites dans ces pages m'obsédaient. En plus de nombreux dessins au trait

— représentant souvent un petit bonhomme coiffé d'un curieux chapeau tyrolien — utilisés pour illustrer des opérations aussi mystérieuses que le cramponnage ou la méthode de sauvetage de Bilgeri, ce livre comportait seize clichés en noir et blanc des principales montagnes de la côte nord-ouest et de l'Alaska. Toutes ces photos étaient belles, mais celle de la page 147 était bien plus que cela : elle me donnait la chair de poule. Réalisée par un spécialiste des glaciers, cette vue aérienne représentait une montagne particulièrement sinistre, une tour de roche noire couverte de plaques de glace. Sur tout ce pic, pas un seul endroit ne paraissait sûr. Il était presque impensable que quelqu'un puisse l'escalader. La légende de l'illustration indiquait son nom : le Devils Thumb.

Dès que je la vis, cette représentation de la face nord du Thumb exerça sur moi une fascination aussi forte qu'une image pornographique. Pendant les quinze années qui suivirent, des centaines, non, des milliers de fois, je saisis mon exemplaire de *L'Alpinisme* sur le rayonnage, l'ouvris à la page 147 et contemplai la photo. Quelle impression aurait-on, me demandais-je sans cesse, à être sur cette mince arête sommitale, préoccupé par les nuages d'orage en train de se former à l'horizon, recroquevillé dans le vent et le froid, avec, de chaque côté, un précipice vertigineux? Comment quelqu'un pourrait-il supporter cette épreuve? S'il advenait que je me trouve sur ce mur nord, accroché à la roche gelée, pourrais-je ne serait-ce que tenter de résister? Ou bien déciderais-je simplement de me plier à l'inévitable en sautant dans le vide?

J'avais prévu de passer entre trois semaines et un mois sur la calotte de glace de Stikine. Peu désireux de transporter sur tout le trajet d'approche une charge de nourriture pour quatre semaines, l'équipement d'un camping hivernal et le matériel d'escalade, j'avais donné 150 dollars — mes dernières économies — à un pilote du bush à Petersburg pour qu'il largue six cartons de vivres lorsque j'aurais atteint le pied du Thumb. Je lui avais indiqué sur sa carte le point exact où je pensais être et lui avais demandé de me laisser trois jours pour y parvenir. Il m'avait promis de le faire, dès que le temps le permettrait.

Le 6 mai, j'installai mon camp de base sur la calotte de glace, au nord-est du Thumb, et j'attendis le largage. Pendant les quatre jours qui suivirent, il neigea, ce qui réduisait à néant toute possibilité de vol. Trop effrayé par les crevasses pour m'éloigner du camp, je passai la plus grande partie de mon temps allongé sous la tente — elle était trop basse pour permettre de se tenir assis —, faisant face à un chœur de doutes de plus en plus insistants.

A mesure que les jours passaient, mon angoisse augmentait. Je n'avais pas de radio ni aucun autre moyen de communiquer avec le monde extérieur. Cela faisait de nombreuses années que personne n'était venu dans cette partie de la calotte de glace de Stikine et très probablement il s'en écoulerait encore plus avant que quelqu'un se présente. Je n'avais presque plus de pétrole pour mon réchaud et j'en étais réduit à un seul morceau de fromage, à mon dernier paquet de pâtes et à une demi-boîte de gâteaux au chocolat. Avec cela, je pensais pouvoir tenir encore trois ou quatre jours si c'était nécessaire, mais ensuite? Il ne me fallait que deux jours pour redescendre le Baird jusqu'à la baie de Thomas, mais il faudrait attendre encore une semaine ou plus avant qu'un pêcheur passant par là puisse m'emmener à Petersburg (les forestiers campaient à vingt-cinq kilomètres, au-delà d'une côte parsemée de promontoires infranchissables, et on ne pouvait les rejoindre que par bateau ou par avion).

Quand je me couchai, le soir du 10 mai, il continuait à neiger et à venter fortement. J'hésitais entre deux solutions : ou bien me mettre en route pour la côte dès le lendemain matin, ou bien rester sur la calotte en faisant le pari que le pilote apparaîtrait avant que je sois mort de faim et de soif. C'est alors que, pendant un court instant, j'entendis un chuintement très faible, à peine plus fort que le bruit d'un moustique. J'écartai la toile à l'entrée de la tente. Il ne restait presque plus de nuages mais aucun avion n'était en vue. Puis le chuintement revint, plus insistant cette fois. Et enfin je l'aperçus : une petite tache rouge et blanc dans le ciel, du côté de l'ouest. Il venait vers moi.

Quelques minutes plus tard, l'avion passa directement au-dessus de ma tête. Le pilote n'était pas habitué aux glaciers et il avait mal évalué les distances. Ne voulant pas être pris dans une turbulence en volant trop bas, il restait à au moins trois cents mètres au-dessus de moi, persuadé d'avoir dépassé le point de largage et n'apercevant pas ma tente dans la lumière rasante du soir. Mes grands gestes et mes cris ne servaient à rien. A cette altitude, il ne pouvait me distinguer des rochers. Pendant l'heure qui suivit il décrivit des cercles au-dessus de la calotte de glace, scrutant sans succès ses contours dépouillés. Mais il faut mettre au crédit du pilote qu'il comprenait combien ma situation était grave et il n'abandonna pas. Frénétiquement, j'attachai mon sac de couchage à l'extrémité d'une des tringles et me mis à l'agiter autant que je le pouvais. Quand l'avion effectua un virage serré et vint droit sur moi, je sentis des larmes de joie m'emplir les yeux.

Le pilote survola rapidement ma tente à trois reprises, lâchant deux cartons à chaque passage, puis l'avion disparut au-delà d'une crête. J'étais seul. A nouveau le silence régnait sur le glacier, je me sentais vulnérable, perdu, abandonné. Je m'aperçus que je sanglotais. Gêné, je mis fin à mes larmes en hurlant des obscénités jusqu'à en être enroué.

Je me réveillai le 11 mai sous un ciel clair et dans une température relativement douce de – 6 °C. Surpris par le beau temps, pas encore prêt mentalement à entreprendre l'ascension, je préparai fébrilement mon sac à dos et me mis à skier vers le pied du Thumb. Deux expéditions précédentes en Alaska m'avaient appris que, prêt ou pas, on ne pouvait pas se permettre de gâcher l'un des rares jours de beau temps.

Un petit glacier qui déborde la calotte de glace monte vers la face nord du Thumb comme une passerelle. Mon plan consistait à le suivre jusqu'à un rocher proéminent qui forme une proue au milieu de la paroi et de là j'exécuterais la montée finale en contournant l'horrible moitié inférieure balayée par des avalanches.

Il se révéla que la passerelle était constituée d'une succession de champs de glace couverts d'une neige poudreuse qui montait jusqu'aux genoux et parsemés de crevasses. La profondeur de la neige rendait la progression lente et épuisante. Finalement, quelque trois ou quatre heures après avoir quitté le camp, je me trouvai face à la paroi terminale. J'étais épuisé, et la véritable escalade n'avait pas encore commencé. C'était juste au-dessus, à l'endroit où le glacier suspendu cède la place à la roche verticale.

Manquant de prises et recouverte de givre friable, celle-ci n'était pas engageante, mais juste à gauche il y avait une encoignure peu profonde vitrifiée par de l'eau de ruissellement gelée. Ce ruban de glace conduisait directement cent mètres plus haut. Si la glace était assez épaisse pour recevoir la pointe de mon piolet, l'itinéraire pourrait être praticable. Je me glissai jusqu'à la base de l'encoignure et, avec précaution, je frappai au moyen d'un de mes instruments la glace épaisse de cinq centimètres. Solide, ferme, elle était plus fine que je ne l'aurais souhaité mais c'était tout de même encourageant. J'étais sur la bonne voie.

La pente était raide, impressionnante, et si dangereuse que cela me donnait le vertige. Sous mes semelles la paroi descendait sur neuf cents mètres jusqu'au glacier du Chaudron des Sorcières dont le cirque était sali et abîmé par les avalanches. Au-dessus de moi, le promontoire jaillissait avec autorité jusqu'au bord du sommet, huit cents mètres plus haut à la verticale. Chaque fois que je plantais un de mes piolets dans la glace, cette distance diminuait de cinquante centimètres.

Plus je montais, plus je me sentais à l'aise. Tout ce qui me retenait à la montagne, tout ce qui me retenait au monde, c'étaient deux fines pointes de molybdène chromé enfoncées à un centimètre et demi dans de l'eau gelée, et pourtant je commençais à croire que j'étais invincible, sans poids, comme ces lézards qu'on voit au plafond des hôtels mexicains de basse catégorie. Au début d'une ascension difficile, surtout en solitaire, on a l'impression aiguë que l'abîme vous tire par le dos. On sent constamment son appel, son immense désir de vous absorber. Y résister exige un effort de volonté énorme ; on ne doit pas baisser la garde un seul instant. Le chant des sirènes du vide vous fait vaciller ; il rend les mouvements maladroits, peu fermes, saccadés. Mais à mesure que l'ascension se poursuit, on s'habitue au danger, à frôler les ténèbres, et l'on en vient à faire confiance à ses mains, à ses pieds, à sa tête. On apprend la maîtrise de soi.

Bientôt l'attention devient si intense qu'on en oublie les articulations douloureuses, les crampes dans les cuisses, la fatigue d'avoir à rester constamment concentré. Un état quasi hypnotique s'installe au-delà de l'effort. L'escalade devient un rêve éveillé. Les heures passent comme des minutes. Tout le fatras de la vie quotidienne — les intermittences de la lucidité, les factures impayées, les occasions manquées, la poussière sur le canapé, l'enfermement dans une configuration génétique —, tout cela est momentanément oublié, chassé de l'esprit par la puissante clarté du but à atteindre et par le sérieux de la tâche immédiate.

A de tels moments, quelque chose qui ressemble au bonheur s'éveille dans votre poitrine, mais ce n'est pas le genre d'émotion qu'on a envie d'examiner de près. Dans l'escalade en solitaire, ce qui soude l'entreprise, c'est à peine plus que le simple culot, lequel n'est pas ce qu'il y a de plus fiable. A la fin de cette journée sur la face nord du Thumb, je sentis que ce ciment commençait à se désintégrer comme sous l'effet d'un coup de piolet.

Depuis que j'avais quitté le glacier suspendu, j'avais progressé d'à peine deux cents mètres, toujours à la pointe des crampons et des piolets. Le ruban d'eau de ruissellement gelée avait pris fin au bout de cent mètres. Il était suivi par une carapace friable de paillettes gelées. Bien qu'à peine assez consistant pour supporter mon poids, ce givre était plaqué au roc sur une épaisseur de trente à soixante centimètres. Aussi continuai-je à enfoncer mes pointes et à monter. Cependant, imperceptiblement, la paroi devenait encore plus raide et la couche de gel plus fine. J'étais entré dans un rythme de progression lent, hypnotique — piolet — piolet — crampon — crampon — piolet — piolet — crampon — crampon–, quand soudain mon piolet gauche frappa une dalle de diorite qui se trouvait sous le givre.

J'essayai à droite, puis à gauche, c'était toujours de la roche. Il m'apparut alors que les paillettes gelées qui me soutenaient étaient épaisses de douze centimètres à peu près, et qu'elles avaient la consistance du pain rassis. Sous moi il y avait plus de mille mètres d'air et je me trouvais en équilibre sur un château de cartes. Des vagues de panique me montèrent à la gorge. Mes yeux se voilèrent, ma respiration s'accéléra, mes genoux se mirent à trembler. Je me hissai un peu plus haut sur la droite, espérant trouver une glace plus épaisse, mais je ne fis que tordre mon piolet sur la roche.

Rendu maladroit et raide par la peur, j'amorçai la redescente. La glace devenait progressivement plus épaisse et après avoir descendu environ vingt-cinq mètres je retrouvai des points d'accroche relativement fermes. Je fis une longue pause pour laisser mes nerfs se calmer, puis inclinai ma tête en arrière et examinai la paroi au-dessus de moi à la recherche d'une couche de glace solide, d'une variation dans le substrat rocheux ou de tout ce qui permettrait de franchir la pierre gelée. Je regardai jusqu'à en avoir mal au cou, mais il n'y avait rien. L'escalade était terminée. Il n'y avait plus qu'à redescendre.

Pendant la plus grande partie des trois jours suivants, une neige abondante accompagnée de vents violents m'obligea à rester sous la tente. Les heures passaient lentement. Pour tenter de les faire passer plus vite, je fumai cigarette sur cigarette tant que ma provision le permit, et je lus. Dans mon expédition, j'avais fait pas mal de mauvais choix. Notamment celui des écrits que j'avais emportés. Trois numéros de *Village Voice* et le dernier roman de Joan Didion, *A Book of Common Prayer*. La lecture de *Village Voice* était assez amusante. Ici, sur la calotte de glace, les sujets traités prenaient un petit air absurde dont cette publication tirait involontairement profit. Mais dans les circonstances où j'étais, la vision maladive que Joan Didion se fait du monde me concernait d'un peu trop près.

Vers la fin de *Common Prayer*, l'un des personnages dit à un autre : « Vous n'avez pas vraiment de raison de rester ici, Charlotte. » Et celle-ci répond : « Il ne me semble pas que ce que vous faites obéisse à de véritables raisons, c'est pourquoi je pense que je vais rester ici encore un peu. »

Quand je n'eus plus rien à lire, j'en fus réduit à étudier le dessin des renforts du plafond de la toile de tente. Je le fis pendant des heures, allongé sur le dos, tout en menant avec moi-même un débat très animé : devrais-je redescendre jusqu'à la côte dès que le temps s'améliorerait, ou bien fallait-il attendre l'occasion d'entreprendre une nouvelle tentative ? En vérité, ma petite escapade sur la face nord m'avait secoué et je n'avais plus du tout envie d'escalader le Thumb. Mais l'idée de retourner à Boulder sur cette défaite n'était pas non plus très attrayante. Il me faudrait garer ma Pontiac derrière la caravane, boucler mon harnais à outils et retourner à ce travail de décervelé que j'avais quitté un mois plus tôt de manière si triomphale. Et surtout, je ne pouvais accepter l'idée de devoir faire bonne figure devant l'expression satisfaite de ceux qui — persuadés de mon échec dès le départ — m'exprimeraient leurs condoléances.

Le troisième jour de tempête, je n'y tins plus. Je ne pouvais plus supporter les flocons de neige gelée qui venaient me piquer le dos, le contact du Nylon humide de la tente contre mon visage, l'incroyable odeur qui sortait des profondeurs de mon sac de couchage. Je farfouillai dans mes affaires en désordre à mes pieds jusqu'à ce que je trouve un petit sac vert dans lequel il y avait une boîte de pellicule. Elle contenait les ingrédients de ce que je voulais considérer comme une sorte de cigare de la victoire. J'avais eu l'intention de le préserver jusqu'à mon retour du sommet, mais qu'importe — il ne semblait pas que j'irais au sommet avant longtemps. Je versai la plus grande partie du contenu de la boîte dans une feuille de papier à cigarette, roulai maladroitement un joint et le fumai rapidement jusqu'au filtre.

Bien évidemment, la marijuana ne fit que rendre la tente plus étroite, plus suffocante, plus impossible à supporter. Elle me donna aussi une faim terrible. Je me dis qu'une assiette de flocons d'avoine me remettrait sur pied. Mais pour la préparer le processus était long et ridiculement compliqué. Il fallait sortir dans la tempête pour recueillir un bol de neige, assembler et allumer le réchaud, retrouver les flocons et le sucre, ôter de mon bol les restes du dîner de la veille. J'avais mis le réchaud en marche et j'y faisais fondre la neige lorsque je sentis une odeur de brûlé. Autour du réchaud, tout allait bien. Je m'apprêtais à attribuer mon alerte au fait que mon imagination était stimulée par la drogue quand j'entendis quelque chose craquer derrière moi.

Je me retournai à temps pour voir un sac-poubelle — dans lequel j'avais jeté l'allumette dont je m'étais servi pour allumer le réchaud — s'enflammer dans une petite conflagration. J'étouffai le feu avec mes mains en quelques secondes, mais déjà une large partie du mur intérieur de la tente s'était évanouie. La toile principale avait échappé aux flammes, aussi restait-elle plus ou moins étanche, mais la température avait baissé d'environ vingt degrés à l'intérieur.

Ma paume gauche commençait à me piquer. En l'examinant, je remarquai la tache rose d'une brûlure. Mais ce qui me soucia le plus, ce fut que la tente n'était même pas à moi. J'avais emprunté cet abri coûteux à mon père. Avant mon voyage, elle était toute neuve. Il en avait retiré les étiquettes à regret. Pendant plusieurs minutes je restai assis, frappé de stupeur, contemplant dans une odeur de cheveu grillé et de Nylon fondu ce qui avait été la forme gracieuse de la tente. « Il fallait que tu me la donnes ! » pensai-je. J'avais le chic pour réaliser les pires craintes du vieux.

Ce feu me jeta dans un découragement tel qu'aucune drogue n'aurait pu l'atténuer. Lorsque j'eus fini de préparer mes flocons d'avoine, j'avais pris ma décision. A l'instant même où la tempête cesserait, je lèverais le camp et me mettrais en route pour la baie de Thomas.

Vingt-quatre heures plus tard, j'étais blotti dans un sac de bivouac sous le rebord de la rimaye devant la face nord du Thumb. Le temps ne s'était pas amélioré. Il neigeait beaucoup, peut-être deux centimètres et demi par heure. Des avalanches descendaient de la muraille et me submergeaient comme d'énormes vagues qui, toutes les vingt minutes, enfouissaient mon sac de bivouac sous la neige.

La journée avait plutôt bien commencé. Quand j'étais sorti de la tente, des nuages enveloppaient encore l'arête sommitale mais le vent était tombé et des taches de lumière constellaient la calotte de glace. Un rayon de soleil presque aveuglant avait glissé paresseusement sur mon campement. J'avais posé un matelas de mousse sur le sol et m'étais allongé en caleçon long sur le glacier. En me prélassant ainsi dans la chaleur du soleil, j'éprouvais le même sentiment de gratitude qu'un prisonnier à qui on vient d'accorder une remise de peine.

Allongé à cet endroit, j'aperçus une étroite cheminée qui s'incurvait vers l'est au milieu de la face nord, bien à gauche de l'itinéraire que j'avais tenté avant la tempête. Je fixai un téléobjectif sur mon appareil photo. Dans cette lentille, je distinguai une surface de glace grise et brillante — une glace profondément gelée, solide, fiable — qui recouvrait le fond de la fissure. La position de la cheminée empêchait de savoir si la glace formait une ligne ininterrompue de la base au sommet. Si c'était bien le cas, cette cheminée pourrait offrir un passage à travers la section de roche couverte de givre qui avait fait échouer ma première tentative. Etendu au soleil, je commençais à penser à toute la haine que j'éprouverais pour moi-même d'ici un mois si je jetais l'éponge après une seule tentative, si je faisais échouer l'expédition parce qu'il y avait un peu de mauvais temps. Moins d'une heure plus tard, j'avais rassemblé mon équipement et je skiais vers la base de la muraille.

Dans la cheminée, la glace était continue, mais très fine — un simple film de verglas. De plus, cette fissure constituait un entonnoir naturel pour tous les débris qui tombaient du mur. Tout en montant dans ce conduit, j'étais arrosé par un flot continu de neige, de paillettes de glace et de petites pierres. Après trente mètres d'escalade, les derniers restes de mon sang-froid s'effritèrent comme du vieux plâtre et je fis demi-tour.

Mais, au lieu de redescendre jusqu'à mon camp de

base, je décidai de passer la nuit juste en dessous de la cheminée, en espérant être dans une meilleure disposition d'esprit le lendemain matin. Cependant, il apparut vite que le beau temps dont j'avais bénéficié n'était qu'une embellie dans une tempête de cinq jours. Au milieu de l'après-midi, elle était de retour et mon bivouac devint un séjour bien peu agréable. De petites avalanches de neige balayaient continuellement la corniche sur laquelle j'étais installé. A cinq reprises, mon sac de bivouac — une mince enveloppe de Nylon ayant exactement la forme d'un sachet pour sandwich — fut recouvert jusqu'à l'ouverture par laquelle je respirais.

Après mon cinquième ensevelissement, j'en eus assez. Je fourrai tout mon équipement dans mon sac et décidai de battre en retraite jusqu'à mon campement.

La descente fut terrifiante. A cause des nuages, du blizzard qui soufflait au sol et de la lumière déclinante, le ciel et la pente formaient un tout indistinct. Incapable de dire si le terrain montait ou descendait, je craignais de m'avancer sur un sérac et de tomber au fond du Chaudron des Sorcières, huit cents mètres plus bas à la verticale. Quand je parvins enfin sur le plan glacé de la calotte, je découvris que mes traces avaient été balayées depuis longtemps. Dans le vide de ce plateau de glace, je ne disposais d'aucun repère pour localiser ma tente. Avec l'espoir de tomber sur mon camp par hasard, je décrivis des cercles à ski pendant une heure, jusqu'au moment où, ayant mis le pied dans une petite crevasse, je compris que je me comportais comme un idiot et qu'il me fallait me mettre à l'abri là où j'étais en attendant la fin de la tempête.

Je creusai un trou peu profond, m'enveloppai dans mon sac de bivouac et m'assis sur mon paquetage dans les tourbillons de neige. Celle-ci s'amoncela autour de moi. Mes pieds s'engourdirent. Un froid humide descendit sur ma poitrine depuis la base de mon cou, là où des flocons s'étaient introduits dans ma parka et avaient trempé ma chemise. Si seulement j'avais une cigarette, une seule, je pourrais trouver la force de caractère de faire bonne figure dans cette foutue situation et dans toute cette foutue expédition. « Si nous avions du bacon, on pourrait se faire des œufs au bacon, à condition d'avoir des œufs. » Je me souvins de cette phrase prononcée par mon ami Nate pendant une tempête identique, deux ans plus tôt, alors que nous étions déjà haut sur une autre montagne d'Alaska, la Mooses Tooth. A l'époque, elle m'avait donné le fou rire. Aujourd'hui, elle ne me faisait plus rire du tout. Je resserrai le sac de bivouac autour de mes épaules, le vent me frappait dans le dos. Toute honte bue, j'enfouis ma tête dans mes bras et plongeai dans une orgie d'auto-apitoiement.

Je savais que l'on peut mourir en montagne. Mais à l'âge de vingt-trois ans, l'idée de la mort individuelle et celle de ma propre mort restaient largement hors de portée de mon esprit. C'était une notion aussi abstraite que la géométrie non euclidienne ou le mariage. Quand j'avais quitté Boulder pour l'Alaska, en avril 1977, la tête noyée dans des rêves de gloire et de rédemption sur le Devils Thumb, il ne m'était pas apparu que, tout comme les autres, je dépendais de relations de cause à effet. Je n'avais jamais entendu parler de l'*ubris*[1]. Et comme j'avais un puissant désir d'escalader cette montagne, comme j'avais intensément pensé au Thumb depuis si longtemps, il me semblait impossible qu'un

1. En français dans le texte. *(N.d.T.)*

obstacle mineur — le temps, les crevasses ou la roche couverte de givre — puisse finalement contrecarrer ma volonté.

Au coucher du soleil, le vent cessa et le plafond s'éleva à cinquante mètres au-dessus du glacier, ce qui me permit d'apercevoir mon campement. Je revenais intact à la tente mais il n'était plus possible d'ignorer que le Thumb avait mis mes projets en miettes. J'étais forcé d'admettre que la seule volonté, aussi déterminée soit-elle, ne me permettrait pas de parvenir au sommet de la face nord. Finalement, je le voyais bien, c'était absolument impossible.

Cependant, il y avait encore une possibilité de réussir cette expédition. Une semaine auparavant, j'avais été à ski jusqu'à la face sud-est pour repérer l'itinéraire de redescente après la montée de la face nord. C'était le chemin suivi par Fred Beckey lors de la première ascension du pic en 1946. Au cours de ma reconnaissance, j'avais remarqué, à la gauche de celui de Beckey, un autre passage : un réseau de plaques de glace sur la face sud-est qui, cela me frappa, constituait une voie assez facile pour atteindre le sommet. A ce moment, je l'avais considérée comme indigne de moi. Mais maintenant, au lendemain de mes relations calamiteuses avec la paroi nord, j'étais prêt à des ambitions plus modestes.

L'après-midi du 15 mai, lorsque le blizzard cessa enfin, je retournai à la face sud-est et grimpai jusqu'à une étroite corniche accolée à la partie supérieure du pic comme l'arc-boutant d'une cathédrale gothique. Je décidai de passer la nuit sur cette crête aérienne, à environ cinq cents mètres au-dessous du sommet. Le ciel du soir était froid et sans nuages. Ma vue allait jusqu'à la mer et au-delà. Au crépuscule, figé, je regardais les lumières de Petersburg qui scintillaient à l'ouest. Ces petites lumières lointaines — mon plus proche contact humain depuis le largage des vivres — déclenchèrent un flot d'émotion qui me prit par surprise. J'imaginais les habitants de la ville regardant un match de base-ball à la télévision, dînant d'un poulet rôti dans des cuisines bien éclairées, buvant de la bière, faisant l'amour. Quand je m'allongeai pour dormir, je me sentis envahi par une solitude poignante. Jamais je n'avais été aussi seul.

Cette nuit-là, je fis des rêves désagréables. Une descente de police, des vampires, une exécution sommaire à la manière des gangsters. J'entendis quelqu'un murmurer : « Il est là, dès qu'il sortira, descends-le. » Je me redressai en sursaut et ouvris les yeux. Le soleil était sur le point de paraître. Le ciel, entièrement pourpre, était toujours clair, mais une mince couche de cirrus semblable à de l'écume avait envahi l'atmosphère supérieure et une ligne noire apparaissait juste au-dessus de l'horizon. J'enfilai mes chaussures et fixai rapidement mes crampons. Cinq minutes après mon réveil, je grimpais déjà au-dessus du bivouac.

Je n'avais emporté ni corde, ni tente, ni matériel, à l'exception de mes piolets. Je voulais être léger et rapide pour atteindre le sommet et en redescendre avant que le temps se gâte. Me dépêchant, toujours à bout de souffle, je me ruai vers le haut sur la gauche, traversant des plaques de neige reliées par des fissures pleines de glace et par de petites marches dans le roc. C'était presque un plaisir de monter. La roche était parsemée de grandes prises intactes et la glace, bien que mince, ne présentait jamais une déclivité trop accentuée. Cependant, j'étais inquiet à cause des nuages de tempête qui, accourant du Pacifique, obscurcissaient le ciel.

Je n'avais pas de montre mais, dans ce qui me parut un très bref espace de temps, j'atteignis la plaque de glace finale. A ce moment, le ciel était rempli de nuages. Il paraissait plus facile de prendre par la gauche, mais plus rapide de monter tout droit. Craignant d'être surpris par la tempête en haut du pic et sans possibilité de m'abriter, j'optai pour le chemin le plus direct. La glace devint plus fine et la pente plus raide. Mon piolet gauche toucha la roche. Je visai un autre point et, là encore, il frappa la diorite impénétrable avec un son sourd. J'essayai encore, et encore. C'était la répétition de ma première tentative sur la face nord. Jetant un regard entre mes jambes, j'aperçus le glacier à plus de six cents mètres au-dessous. Mon estomac se contracta et mon assurance se dissipa comme de la fumée emportée par le vent.

A treize mètres au-dessus de moi, la paroi redevenait facile aux abords du sommet. Immobile, je me cramponnais à mes piolets, tenaillé par l'indécision et la peur. A nouveau je regardai en bas la longue chute vers le glacier, puis en haut, puis je grattai la patine de glace au-dessus de ma tête. J'accrochai la pointe de mon piolet à une entaille fine comme une lame et tirai. Elle tenait. Je retirai mon piolet droit de la glace, me hissai et mis la pointe de biais dans une fissure oblique d'un peu plus d'un centimètre jusqu'à ce qu'elle tienne. Respirant à peine, je déplaçai mes pieds en cherchant une prise sur le verglas avec la pointe de mes crampons. M'élevant le plus possible grâce à mon bras gauche, je balançai doucement le piolet vers la surface brillante et opaque sans savoir ce qu'elle dissimulait. La pointe pénétra avec un bruit rassurant. Quelques minutes plus tard, je me tenais sur une large corniche circulaire. Le sommet proprement dit, une série de minces aiguilles rocheuses émergeant d'une meringue de glace grotesque, se dressait six mètres au-dessus.

Les paillettes gelées, presque inconsistantes, qui le recouvraient rendirent ces six derniers mètres pénibles, coûteux, effrayants. Et puis brusquement, il n'y eut plus d'endroit où grimper. Mes lèvres craquelées se tendirent en un sourire douloureux. J'étais au sommet du Devils Thumb.

Comme il fallait s'y attendre, le sommet était un endroit étrange, inquiétant, une pointe de roc et de givre. Il n'incitait pas à s'attarder. Lorsque je pris position sur le point le plus élevé, la face sud descendait au-dessous de mon pied droit sur sept cent cinquante mètres. Au-dessous de mon pied gauche, la face nord descendait à deux fois cette distance. Je pris quelques photos pour prouver que j'avais bien atteint le sommet et mis quelques minutes à redresser la pointe tordue de mon piolet. Puis je me relevai, fis soigneusement un tour d'horizon et pris le chemin du retour.

Cinq jours plus tard, je campais sous la pluie, au bord de la mer, en m'émerveillant à la vue de la mousse, des saules, des moustiques. Et au bout de deux jours, une petite embarcation à moteur entra dans la baie de Thomas et accosta pas très loin de ma tente. Le conducteur du bateau se présenta. Il s'appelait Jim Freeman et il était bûcheron à Petersburg. C'était son jour de congé, me dit-il, il faisait un tour pour montrer le glacier à sa famille et chasser l'ours. Il me demanda si j'avais été à la chasse.

« Non, répondis-je d'un air penaud. En fait, je suis

simplement monté sur le Devils Thumb. Cela fait vingt jours que je suis ici. »

Freeman joua avec un taquet de son bateau et ne dit rien. Finalement, il me jeta un regard dur puis cracha : « Vous ne me raconteriez pas des histoires, n'est-ce pas ? » Surpris, je balbutiai une protestation. Il était clair qu'il ne me croyait pas. De plus, il ne semblait approuver ni mes cheveux emmêlés qui me tombaient jusqu'aux épaules ni mon odeur après trois semaines sans bain et dans le même linge. Quand je lui demandai s'il pouvait me ramener en ville, il répondit à contrecœur : « Pourquoi pas ? »

L'eau était un peu agitée et la traversée du détroit de Frederick prit deux heures. Progressivement, à mesure que nous parlions, Freeman devint plus chaleureux. Il n'était toujours pas convaincu que j'avais fait l'ascension du Thumb, mais lorsqu'il dirigea le bateau dans la passe de Wrangell, il prétendit qu'il me croyait. Arrivé à quai, il voulut m'offrir un cheeseburger et il m'invita à passer la nuit dans un vieux fourgon garé dans sa cour.

Je m'allongeai à l'arrière du véhicule mais ne pus trouver le sommeil. Alors je me levai et allai dans un bar nommé le Kito's Kave. L'euphorie, la sensation débordante de soulagement qui avait dans un premier temps accompagné mon retour à Petersburg, s'estompa et une mélancolie inattendue la remplaça. Les gens avec lesquels je bavardai chez Kito ne semblaient pas mettre en doute que j'avais atteint le sommet du Thumb mais, simplement, ça leur était égal. A mesure que la nuit avançait, l'endroit se vida et il ne resta plus que moi et un Indien à une table du fond. Je buvais seul en mettant des pièces dans le juke-box qui jouait sempiternellement les cinq mêmes chansons. A la fin, la serveuse cria avec colère : « Hé, laisse-le un peu tranquille ! » Je marmonnai une excuse, me dirigeai vers la porte et rentrai au fourgon de Freeman. Là, dans une douce odeur de vieille huile de moteur, je m'allongeai sur le plancher tout contre un arbre de transmission mis à nu et sombrai dans le sommeil.

Quand on est jeune, on est aisément persuadé que ce qu'on désire correspond à ce qu'on mérite, et on suppose que, si on veut vraiment quelque chose, on a le droit de l'obtenir par grâce divine.

Moins d'un mois après m'être assis sur le sommet du Thumb, j'étais de retour à Boulder et je clouais des revêtements sur les immeubles municipaux de Spruce Street, des habitations en copropriété semblables à celles dont j'avais construit la charpente avant de partir pour l'Alaska. J'obtins une augmentation qui fit passer mon salaire à 4 dollars l'heure et, à la fin de l'été, je quittai la caravane du chantier pour un studio bon marché. Mais, à part cela, ma vie n'avait pas beaucoup changé. La glorieuse transformation que j'avais imaginée en avril ne s'était pas produite.

Cependant, l'escalade du Devils Thumb m'avait fait quitter un peu plus l'innocence bornée de l'enfance. Elle m'avait appris ce que peuvent et ne peuvent pas apporter les montagnes, et quelles sont les limites de nos rêves. Bien entendu, sur le moment, je ne l'ai pas compris en toute clarté, mais aujourd'hui je repense à cette ascension avec un sentiment de reconnaissance.

Cet ouvrage a été composé
*par l'***Imprimerie Bussière**
et imprimé sur presse Cameron
dans les ateliers de
Bussière Camedan Imprimeries
à Saint-Amand-Montrond (Cher)
en novembre 1999

N° d'édition : 6776. — N° d'Impression : 995175/1.
Dépôt légal : novembre 1999.

Imprimé en France